安心 ネ

あんしん

小学生実用BOOKS
しょうがくせいじつよう ブックス

5分でわかる
ふん

JN002001

監 修 手塚信貴
マンガ 岩崎つばさ

ようこそ、安心ネットの世界へ！
あんしん せかい
リスクを遠ざけ、
とお
笑顔のネット生活が
えがお ライフ
キミを待ってるよ！
ま

架空請求
炎上
危険

サギ
なり
すまし

Gakken

はじめに

学校の勉強以外の悩みって、ない？

「スマホを持っていないので、
　なかまはずれ気分でさみしい」
「親は "小学生はスマホ禁止！" と言って、
　買ってくれない。なぜ小学生はダメなの？」
「スマホどころか、うちはパソコンもさわっちゃダメ、
　インターネットもつなげちゃダメだって、なぜ？」
「そもそも、なぜ、学校にスマホを持って行っては
　いけないの？」

そんな、だれに聞いて
いいのかわからない、
キミの疑問やモヤモヤ、
どうやって解決しようか？

お父さん、お母さん、きょうだい、先生に聞く？
それもいいけれど、そんな時は、
この本がキミの味方だよ！

にゃんころたちのストーリーから
なぜ、大人たちが、
キミたちをネットから
遠ざけようとするのか、
インターネットの危険性と
正しいつきあい方がわかるよ。
しかも楽しく、おもしろく読めるようになってるんだ。

尾も白い〜

にゃんちゃって★

キミが笑顔で毎日を送るために
ちょっとだけ、猫の手ならぬ、
猫の知恵を貸してあげる！

ちなみにぼくたちは
『微笑問題』というお笑い芸猫コンビの
「ジョー」と「トール」だ。
いつもはテレビのお笑い番組で
漫才をしているけど、
本当の職業は大学の先生なんだよ。

悩めるキミたちに笑ってもらおうと、
日夜、ワクワクとニコニコの研究をしている。
そして笑顔を届けるために、
全国をまわって特別授業中。それがこの本だ。

ジョー

トール

ぼくたちについては『5分でわかる友だち術』を見てね。

でも「インターネット」はぼくたちの専門外だから

もっとくわしいスペシャリストの先生を呼んでるよ

あの超名芸猫がっっ

ワクワク

ニコニコ

わーい!!

みんなで呼んでみよ～!

ノブ先生～!!

は～い!!

せんせー!!

ノブせんせ!!

お～!!

さあ、授業を始めよう！

キーンコーン
　　カーンコーン♪

猫バージョン・ノブ先生

5

け

1 消せ

2 やらない

ぼくが教えます！
さっそく授業内容
です！

インターネット
スペシャリスト
ノブ先生

6

ない

3 信じない

安心ネットの
3原則をしっかり心に
きざもうね！

くわしくは3章を見てね

もくじ

はじめに ……………………………… 2

安心ネットの3原則 …………………… 6

登場人物にゃんころの解説 ………… 10

キャラクター紹介 ……………………… 12

1章 そもそもインターネットって何？ 15

マンガ インターネットって怖いモノ!? …… 16

そもそもインターネットとは？ ……… 24

特徴1 世界中とつながっている ……… 28

特徴2 情報が伝わる＆広がる
スピードは超速い！ ………………… 30

特徴3 インターネットにのせられた情報は
ほぼ永久に残り続ける ……………… 32

特徴4 何にどう使うかは使う人の自由
決まりはない ………………………… 34

そんなインターネットの特性を
いかして こんなことができるよ …… 36

知ってる？ インターネット用語集 …… 38

2章 ネット上にはキケンがいっぱい 41

マンガ インターネットに
ハマると怖いのはなぜ!? …………… 42

インターネットにハマると
こんな悪影響があるよ ……………… 46

大人だって失敗！ 微笑問題1 ……… 52
入金したのに、品物が届かない…

3章 覚えておこう 3原則＆15のルール 53

原則1 消せない ………………… 54

マンガ 仲なおりしたって悪口は消せない … 56

消せない ルール1 …………………… 58
発信する前に内容をよく確認！

マンガ ささいな写真で特定！
個人情報は消せない ………………… 60

消せない ルール2 …………………… 62
住所・氏名はもちろん
写真や動画など個人情報は出さない！

マンガ あいまいなウワサ…
まちがいでも消せない ……………… 64

消せない ルール3 …………………… 66
いい加減な情報やウワサを流さない！

マンガ 世界中のみ～んなに知られていいの？ … 68

消せない ルール4 …………………… 70
公開範囲を決めよう！

マンガ パスワードはだれにも教えない！ … 72

消せない ルール5 …………………… 74
ID・パスワードはだれにも教えない！

原則2 やらない ………………… 76

マンガ 有名人の写真 無断でアップは× … 78

やらない ルール1 …………………… 80
有名人はもちろん、他人を許可なく
撮影＆アップしない！

マンガ マンガ・イラスト・音楽…
許可なくアップは× ………………… 82

やらない ルール2 …………………… 84
他人が作ったものを勝手にアップしない！

マンガ お金の話が出たらキケン
ゲーム内のコインも× ……………… 86

やらない ルール3 …………………… 88
インターネットでお金のからむことは
やらない！

マンガ 歩き・自転車スマホは禁止
使っていけない場所では× ……… 90
やらない ルール 4 ……… 92
歩きスマホ、自転車スマホはやらない！
禁止された場所では×

マンガ スマホを使いすぎない！
制限時間を守れないのは× ……… 94
やらない ルール 5 ……… 96
スマホやタブレットを使いすぎない！

原則 3 信じない ……… 98

マンガ ネットの相手の正体は…?
信じては× ……… 100
信じない ルール 1 ……… 102
インターネットに書かれていることを
むやみに信用しない！

マンガ ネットで知り合った人と
会うのは× ……… 104
信じない ルール 2 ……… 106
インターネットで知り合った人とは
会ってはいけない！

マンガ わからない画面が出たら
クリックしないで ……… 108
信じない ルール 3 ……… 110
わからない言葉やメッセージ、変なページ
が出たら、クリックしたり返事をしない！

マンガ 無料はワナかも？
ダウンロードしない ……… 112
信じない ルール 4 ……… 114
無料のアプリやソフトを
安易にダウンロードしない！

マンガ 無料Wi-Fiにつながない ……… 116
信じない ルール 5 ……… 118
確認しないで無料 Wi-Fi につながない！

子どもたちのインターネット
利用実態は？ ……… 120
SNSには要注意！ ……… 122

結論とおさらい ……… 126

大人だって失敗！ 微笑問題 2 ……… 128
スマホ、落としちゃった！ どうしよう…

4章 親子で
ネットルールを
作ろう 129

マンガ 父の決意 ～いっしょに学ぼう
いっしょに使おう～ ……… 130
ルール1 使う時間を決めよう ……… 132
ルール2 使う場所を決めよう ……… 134
ルール3 やっていいこと・悪いことを
決めておこう ……… 136
ルール4 親に見せる範囲を決めよう ……… 138

やって みよう！ これがキミのルールリストだ！ ……… 140
ルール1 時間 ……… 140
ルール2 場所 ……… 141
ルール3 やっていいこと・悪いこと ……… 142
ルール4 親に見せる範囲 ……… 143

やって みよう！ IDとパスワード、電話番号や
メールアドレスなどのMYリスト ……… 144

5章 保護者の方へ
「こんなトラブル
増えています！」 145

マンガ ケース1 写真をうっかりアップ ……… 147
マンガ ケース2 違法を子は見ています ……… 148
マンガ ケース3 親同士のウワサ話…
子どもにも伝わります ……… 149

親がまず知っておかねば！
「インターネットリテラシー」 ……… 150

親のセキュリティ対策
フィルタリングを必ず設定 ……… 152

保護者の まとめ 子どもが安全に
インターネットを使うために ……… 154

手塚先生×小学生ママ対談 ……… 156
エピローグマンガ ……… 159

本書の登場人物にゃんころの解説

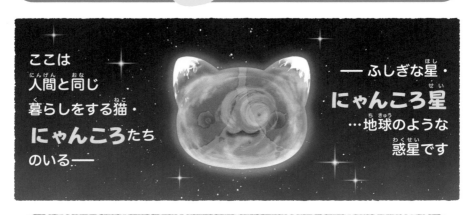

ここは
人間と同じ
暮らしをする猫・
にゃんころたち
のいる——

——ふしぎな星・
にゃんころ星
…地球のような
惑星です

この星の猫・にゃんころたちは、しっぽが器用で
手足の代わりにしっぽでなんでもできるので

こ〜んな姿をしています!

でも、今この本を読んでいる人間のキミには、
にゃんころたちの言動を、より身近に
自分のことのように感じてほしいので、
ときどき「擬人化モード」に
切り替えてお届けいたします。

猫になったり 人間になったりしますが
本当の姿は猫なんです。でもね、ご心配なく！
色と姿で、だれがだれだか、すぐにわかりますよ。

キャラクター紹介

にゃんころ小学校4年しっぽ組の仲間を紹介。スマホを持っている子、持っていない子、だれが何を持っているのか、マークがついているよ。マンガで「あれ、だれだっけ?」と思ったらここを見返してね。

スマホ	キッズ携帯	タブレット	🅿🅲 パソコン

みけとクッキーのお父さん

ふたご 姉弟

親友

みけ
強くて元気な小4の女の子。最近スマホがほしくてたまらないが、お父さんに反対されている。

クッキー
みけのふたごの弟で、4つ下の3つ子の弟と妹がいる、やさしく気弱な男の子。おかし作りが大好き。

おシャムく〜ん

大ファン

おシャムくん
ハンサムなモテモテ男子。バイオリニストの母は演奏会で海外に行くことが多く、小さいころから母との会話用にスマホでNYINEを使っているので、スマホに詳しい。

たまちゃん
心やさしい女の子。しっかり者。みけの親友。

おシャムくんのお母さん

安心ネット術

クローバーちゃん

お花屋さんの娘。内気な女の子。みけ、たまちゃんと仲が良い。

ランボー

短気でケンカっ早く、すぐに手が出る。身体も人一倍大きいので、クラスのみんなからこわがられている。

シンボー

以前はいじめられっ子だったが、今ではランボーに守られている。ゲームが何より好きで、目が悪くなってもゲームがやめられない。

ちーちゃん

おシャムファン。とりまきーずの一員。念願のスマホを買ってもらって、Tnyatterを始めたばかり。

まーちゃん

おシャムファン。ちーちゃんがうらやましくて、おねだりしてスマホをゲット。ちーちゃんとは、NYINEでつながっている。

めがねこちゃん

読書と歴史が大好きなめがね少女。マンガを描くのが得意。姉のおさがりのタブレットをもらってデジタルでお絵かきしている。

なっちゃん

仲良し4人組でおシャムファンクラブ・とりまきーずを結成。自分の家が貧乏なのでは、と気にしている。

ふーちゃん

おシャムファン。転校してきて後からとりまきーずの一員に。甘いものが大好きで、太っているのを気にしている。

おわらいくん

大阪大好き＆阪神タイガースファン。将来、お笑い芸猫になりたいネアカな男子。タイガース情報を集めるのに、スマホを活用している。

13

まなぶくん

クラスで一番勉強ができる。学級委員。とくに理数系が得意な理系男子。パソコンも得意。運動はニガテ。

J1(本名 ぶち)

サッカー大好き男子で運動は得意だが勉強はニガテ。本名の「ぶち」がキライで、J1と呼ばれたがっている。サッカー情報チェックのために最近安いスマホを買ってもらった。

キリちゃん

歯に衣着せず、ずけずけ物を言うので、クラスメイトから「キツイ性格」と言われるが気にしていない。最近ママのおさがりをもらって、スマホを使いだした。

きらきらちゃん

超セレブなお金持ちのお嬢様。性格はおっとりしている。誘拐されないかと執事が心配して、セキュリティが厳重なスマホを持たされ、居場所を常時監視されている。

モカちゃん

家がカフェで、父はバリスタ。母は南ニャメリカ出身。スマホで人気カフェメニューを検索したりして、家を手伝う。

にゃんぺい

おじいちゃんと2匹暮らし。おじいちゃんは漁師で、にゃんぺいも釣りの天才。一匹狼で野性児、携帯は持っていない。

にゃん子先生

4年しっぽ組の担任の先生。趣味は読書と創作料理。しっぽ組の子たちに惜しみなく愛を注ぐ。

先生たち大人は、仕事で使っているので、スマホもタブレットもPCもぜんぶ持っているよ。

✳ Special Teachers

ノブ先生

今回のテーマ「安心ネット術」について教えてくれるITの先生。ITというのは、インターネットまわりのすべてを指すよ。知らずに使うとキケンが潜むITについての注意点をわかりやすく解説してくれる。

ジョー(左)とトール(右)

『微笑問題』としてコンビを組み、人気番組「N-1グランプリ」で優勝した実力のお笑い芸能。ワクワクする気持ちを研究するジョーとニコニコ笑顔の研究をするトールはどちらも本業は大学の先生なのだ。

1章

そもそも
インターネットって何？

いいか？　みけ…
スマホはなぁ

コワイぞ〜

インターネットという
地獄につながる
悪魔の機械なんだ！

コワイぞ〜

スマホ
中毒に
なっちゃう！？

スマホッ
スマホ…

悪い人に
家がバレる！！

おじゃましまーす

こんちはー
ドロボーだよ！！

炎上する

火事だ〜

ゴォッ

しまいにゃ
頭からバリバリと
食われちまうんだよ…

バリッ

バリ　バリッ

食われるー！？

落ち
ついて！

18

ちょっとおどかしすぎたかな？

ほ、ほんと？

ははは

スマホは
かみついたりは
しないよ

大丈夫だよ
みけちゃん

だけど本当に
・中毒になる
・悪い人に
　悪用される
・炎上
とかあるよね

うん　ある

あるの!?

気をつけ
ないと

なんでみんな
そんな怖いものを
使っているの!?

トントン

金も
だせ！

チョキ

チョキ

ギャ

サッ

ネットは
包丁やはさみと同じ
道具だから　使い方
しだいで危ないことも
あるって話なんだ

ネット自体が
危ないんじゃ
ないんだよ

19

21

呼ばれて即登場！

人が本当に出てきた！インターネットすごい！

ネットのことを勉強したいなんて感心感心！

たまたま近くに来てたんだ

おシャムくんのご両親とは友だちでね　おシャムくんにときどきネットルールを教えに来ているんだ

な〜んだ〜

どきどきしちゃった♪

スマホ画面から人は出せないけどスマホで買い物はできるよ！

ぽちっとな

購入する

こうやって商品を注文すると…

あとでおうちに商品が届くのです！

お荷物です！

おお〜!!

22

アナタだけに耳寄り情報!! 飲むだけで! 脚が細く長く、顔がかわいくなるヒミツの薬が今だけ450円!!

みけ!?

買います

Cuty

みけ… そんなにお小遣い残ってないでしょ…

え？

え？

…というようなあやしい情報にだまされないように

ゴメンネウソ

ウソなの!?

まずはいろいろ知るところからはじめてみようか！

はぁ～い！

あ

あれ…？新聞は？

そもそも インターネット とは？

コンピュータ同士をつないで作った

大きな大きな **ネットワーク** のこと

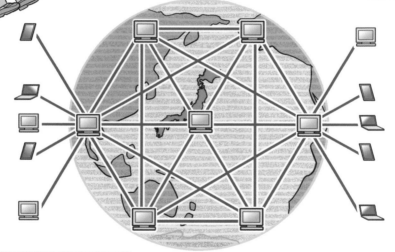

ネットワーク とは

たくさんのコンピュータをつなげて
情報のやり取りができるようにしたしくみのこと。
このネットワークを網の目のように世界中に
広げたものがインターネットだ。

「ネット」っていうのは
網っていう意味！

網の目みたいだよね

「なんだ、それだけ？」って思ったかもしれないけれど、

情報 ＝ データをやり取りするってことで、

こんなことができるんだよ。

電話のように通話したり…

おばあちゃん♥

たまちゃん

文字や写真を送ったり…

好きな動画を見たり音楽を聴いたり

♪

よにゃづけんし

離れた人といっしょに

ゲームをしたり

データ ➡ p.39 16

なぜ、そんなことが できるかというと

シンボーとおわらいくんの
家が使っている
プロバイダのサーバー

宿題やった？

ミスった！

ボスをたのむ、

ギャース!!
GAME

ズバッ

今日は
宿題提出日！

ボスを
たおしたぞ

宿題
やった？

1

家、学校、会社など、場所
ごとに情報をやり取りする
小さなかたまりが
「ネットワーク」だ。

情報のかたまり（ネットワーク）同士を
つなげたものが「インターネット」だ。

まかせろ！

有線で接続することを **LAN接続** 　無線で接続することを **Wi-Fi接続** と言うよ。

※サーバー…ネットワーク上で情報やサービスを他のコンピュータに提供するコンピュータ。情報の保管倉庫みたいなもの

学校の※サーバー

宿題

まにあった♪

おわらいくん
シンボーくん
宿題やった？

返事が
ないな

にゃん子先生の
パソコン

パソコンやスマホを通して
「これが見たい」
「メッセージを伝えたい」
など指示を送ることで、
いろんな情報がやり取り
できるんだよ

②

それぞれの場所の
ネットワークは、
互いにつながっていて、
情報のやり取りができる。

だから、離れた場所でも
相手のゲームの状況がわかったり、
連絡が届いたりするんだ。

インターネットには いくつかの特徴があるよ

特徴 1 世界中とつながっている

インターネットは
日本全国はもちろん、
世界中にはりめぐらされている。

だから、
インターネットを通して、
アフリカにいる人とも
ヨーロッパにいる人とも、
南極にいる人とだって、

文字や写真、画像のやり取りをしたり、
ビデオ通話やチャットで話すこともできる。

1対1だけでなく、不特定多数に発信することだって簡単にできるよ。

特徴2 情報が伝わる&広がるスピードは超速い!

インターネットは情報網が世界中にはりめぐらされている。

だからネットにのせた情報は一気にいろんなところに伝わって、たちまち世界中に広がる。

特定の相手にはもちろん、関係ない人にも情報は伝わっていくよ。

たとえば　こんなふうに…

今日は　二人の誕生日だよ!!

学校帰りの買い食いアイスで大当たり出たよ～!!

やった♡

大当たり

…と　SNSに　アップロードすると…

世界中の人からメッセージが届いたり…

町中の人に知れわたったりする…家族にもバレる!

特徴3 インターネットに のせられた情報は ほぼ 永久に残り続ける

たとえば、本のような
紙に書かれた情報は、
古くなって紙がボロボロになったり、
なくしたりすると
もう見つけることは難しい。

よめない♪

ボロ…

でも、インターネットは
デジタル情報なので劣化したり、
なくなることはない。

一度インターネットにのせられた情報は
だれかが検索して探そうとすれば、
いつでも引っぱり出すことができるんだ。

みんなの上げた大量の情報が「クラウド」と
呼ばれる見えない場所に保存されている。

UL！

UL！

DL！

DL！

UL…アップロード　DL…ダウンロード

クラウド → p.39 ⑩　アップロード → p.38 ⑭　ダウンロード → p.39 ⑭

特徴 **4**

何にどう使うかは使う人の自由 決まりはない

インターネットにどんな情報をのせるのか、だれに情報を送るのか、どんな情報を集めてくるのかは、使う人の目的しだい。

つまり、やろうと思えば情報に関することなら、なんだってできちゃう、ってことなんだ。

調べ学習で情報を集めまくっている人

使い方の幅はとても広い。できることがすごく多い。ということは同時に使う人の倫理観（モラル）が問われることになる。

34

フランスのアニメ友だちとコスプレし合っている人

アメリカのアイドルにファンレターをメールで送っている人

撮った動画をYouTubeにアップしてYouTuberになろうとしている人

登録してね！

チャンネル登録

ククククッル！！

インターネットで犯罪をしようとしている人

そんなインターネットの特性をいかして こんなことができるよ

インターネットに
つながっている機器を
持つことで、
どこにいるかがわかる

GPS

ここに1000冊
入ってるさ!!

インターネットに
つながっている機器が
1台あれば、
図書館になる

機器に入る本を **電子書籍** というよ

わからないことを
すぐに調べて、
さまざまな知識を
得ることができる

ネット検索

月 の満ち欠け

次の月食は…?

手で操作しなくても、離れた場所から声で動かしたり、指示ができる

※Alexa、Siri、Googleアシスタントなどがあるね。

スマートスピーカー・スマートリモコン

お店に行かなくても、インターネットを通していろんな物を買うことができる

ネットショッピング

できることがどんどん広がって、ぼくたちの生活もどんどん変わっていっているんだ

インターネットというと、聞いたことがないカタカナがいっぱいで「なんのことかよくわからない〜」と思う人も多いのでは？ そこで、よく使われる言葉について解説するよ。辞書のように使ってね。

01 ID とパスワード

IDとは、パソコンやインターネットサービスを利用するためのキミの名前。数字やアルファベットの組み合わせでできている。**パスワード**とは、自分以外の人が勝手にインターネットサービスを使わないようにかけておく鍵のようなもの。数字やアルファベットの組み合わせを自分で決められる。

02 アカウント

パソコンやインターネットサービスを利用する権利のこと。使うサービスごとに一人ひとり違う**アカウント**名が割り当てられる。
例えるなら、**アカウント**はキミの部屋だ。**ID**と**パスワード**が知られると、だれでもキミの部屋に侵入でき、自分の部屋のように使われてしまう。そこで鍵をかけ、他人にキミの部屋を使われないようにするんだ。

03 アップデート

パソコンやスマホのOSやソフトウェア（アプリ）の内容を最新のものに置き換えること。ほとんどは無料で**アップデート**できる。

04 アップロード Upload

自分のパソコンやスマホなどからSNSなどに画像や動画などのデータを送信したり、ネットワーク上のサーバーにファイルを保存すること。

05 アプリ／ソフト

どちらも特定の目的を持って作られた専用の**アプリケーションソフトウェア**の略。パソコンの世界では「**ソフト**」、スマホの世界では「**アプリ**」と略すのが一般的。ゲームをはじめ、辞書機能や動画再生、文書作成など、さまざまな目的に応じた**アプリケーション**がある。

06 インストール

パソコンやスマホに新たにアプリやソフトを追加し、使用可能な状態にすること。

07 SNS

ソーシャル ネットワーキング サービス（Social Networking Service）の略。**SNS**に登録した人は互いにインターネット上で交流することができる会員サービスのこと。LINE、facebook、Twitter、Instagram、YouTube、TikTokなどが代表的。p.125参照。

08 炎上

不用意な書き込みなどによって、多くの人からインターネット上で非難や中傷のコメントなどが殺到し、大変な状況になること。

09 キャリア

携帯電話のキャリアとは、携帯電話の通信サービスを行っている会社のこと。日本ではNTTドコモ・au・ソフトバンクが3大キャリアと呼ばれている。格安スマホサービスを行っている会社は、3大キャリアの通信網を借りているためキャリアではない。

10 クラウド (クラウド・コンピューティング)

パソコンやスマホの写真や動画、作成資料などのデータをインターネット上のスペースに保存できるサービスのこと。スマホで撮影した写真や動画をクラウドに保存すれば家のパソコンでも見ることができる。クラウドは「雲」という意味で、まさに目には見えないインターネット上の保管場所。

11 サーバー

利用者が必要としている情報やサービスを提供する、ネットワーク上にあるコンピュータのこと。Webサーバー、メールサーバー、ゲームサーバーなど、さまざまなサービスを提供するサーバーがある。

12 GPS

グローバル・ポジショニング・システム（Global Positioning System）の略。GPS機能があるスマホなどの機器が人工衛星から緯度と経度などの情報を受け取って、自分の現在の位置を正確に測定

キミのいる位置は北緯××、東経△△

できるシステム。

13 SIM (SIM カード)

携帯電話会社の回線を使って電話をしたり、データ通信を利用する人を特定する情報が記録されたICカードのこと。利用する携帯電話やスマホにセットされている。

14 ダウンロード Download

インターネット回線を通じてネットワーク上にあるデータやファイルを自分のパソコンやスマホに取り込むこと。

15 チャット

離れた場所にいる人同士がインターネットを通じてリアルタイムに文字やイラストを用いて会話できる仕組み。チャット（chat）とは"おしゃべり"の意味。

16 データ

パソコンやスマホで使う情報のこと。スマホで撮影した写真や動画、パソコンで作成した音楽や文字情報などもすべてデータと呼ばれる。

17 デバイス

パソコン、スマホ、タブレットなどネットワークに接続する機器のこと。プリンターやゲーム機などもデバイスと呼ばれている。

パソコン　キッズ携帯　ゲーム機

タブレット

スマホ

スマートウォッチ

18 ハードディスク

ハードディスクドライブの略で、パソコンのデータを保存する機器のこと。

19 バックアップ

パソコンやスマホに保存されているデータが壊れたり、なくなったりすることに備えて別のパソコンやスマホ、クラウドサービスなどに予備データとして保存すること。

20 ファイル

写真・動画・文字情報など、まとまりを持った一つひとつのデータのこと。

21 フォルダ

複数のファイルを整理して保存するためのいれ物のこと。

22 ブラウザ

インターネットで情報を調べる時に必要なホームページやWebサイトを閲覧するために使うソフトウェア。

23 Bluetooth

パソコンやスマホなどで、数メートル程度の離れた機器の接続に使われる技術の一つ。例えばBluetoothに対応した機器であればケーブルを使わずにスマホとヘッドホンを接続し、音楽を聴くことができる。キーボード、マウス、プリンター、スピーカー、ゲーム機などBluetoothに対応した機器がある。

24 ホームページ

会社や個人がインターネットを通じて多くの人に情報を発信するためのサイト。

25 メール（電子メール）

インターネットを通じてパソコンやスマホなどでやり取りする電子的な手紙のこと。文章だけでなく、画像や資料などのデータファイルを添付することもできる。Eメールとも言う。

26 モバイル機器

小型・軽量で簡単に持ち運びできる電子機器のことで、ポータブル機器ともいう。小型のノートパソコンやスマホ、携帯、タブレット、ゲーム機などを指す。

27 URL

ホームページやWebサイトなどインターネット上で情報がアップされている場所を示すための住所のようなもの。「www.〜」や「https://〜」で表される。

28 Wi-Fi

スマホやパソコン、タブレット、ゲーム機、プリンターなどの機器に無線で接続する技術のこと。反対に有線で接続することをLAN接続と言う。（➡p.26）

わからないコトバがあったらこのページにもどってね

40

2章
ネット上には キケンがいっぱい

昨日から徹夜でゲーム
「にゃんころクエスト」を
やってたんだ!

ふら～っ

徹夜!?

だってめちゃくちゃ
おもしろいんだよ!
なんてったって
ぼくが勇者で伝説
の剣が…

ぺらぺらぺら

シンボー
大丈夫かな?

顔色悪いよね?

インターネットに ハマると怖いのはなぜ!?

昨日から徹夜でゲーム「にゃんころクエスト」をやってたんだ！

ふら～っ

徹夜!?

だってめちゃくちゃおもしろいんだよ！なんてったってぼくが勇者で伝説の剣が…

ぺらぺらぺら

シンボー大丈夫かな？

顔色悪いよね？

なになに？そんなにおもしろいのかよ！

ランボー!?

おれにもやらせろよちょっとスマホ貸せよ

ええ～

ダメだってば！

ドスンバタン

ちょっとだけちょっとだけだから！

コラコラみんな何を騒いでるの？

あ！

にゃん子先生！
…と

だれ？

今度ネットリテラシーの授業をお願いする予定のノブ先生よ

みんなよろしくね！

先生！　シンボーがスマホ貸してくれないんだよ！

けちんぼ!!!

こらこらキミ！
スマホは個人情報がいっぱいなんだ

安易に貸し借りしちゃダメだよ

そうよ　それにいやがっているのに無理やりはダメよ

め〜！

え〜

ほらぁ！

44

そもそもシンボーくん！
学校は携帯禁止よ!!

没収!!

え

そんな〜　オレもう
スマホと離れられない
身体なのにぃ…

しく　しく

スマホ…スマ…ホ

何言ってるの？
そんなにフラフラして

小学生なのに
その目の下のクマ！

ガチガチの
肩こり！

サッ

ガッチガチ!!

そしてこの
テストの点数！

ば〜ん!!

キャーッ!!

さいばん
8/×0××

やりすぎは
よくないよ？

スマホって
やっぱり
怖い…

スマホ…

インターネットにハマると こんな悪影響があるよ

悪影響 ① 精神面

睡眠障害による イライラ

インターネットにハマって、勉強や生活よりもインターネットの使用を優先してしまい、

自分をコントロールできなくなる状態が「ネット依存」だ。

無気力

なにもしたくない。

サッカーしようぜ！

いやいい…

引きこもりに…

夜遅くまでオンラインゲームをしていて睡眠不足になったり、できないことでイライラしたり、

ひどい時にはウツ状態になることも…。

悪影響 ② 勉強面

夜遅くまでインターネットを
しているような生活が続くと、
当然昼間に眠気がくる。

遅刻や授業中の居眠り

シニボー?

成績の低下

睡眠不足で、学校の
授業も集中力を欠き、
授業の進みにもついていけなくなり、
成績も低下。

結果不登校に
なることも…。

不登校、そして引きこもりに…

おーい
大丈夫か？

ピーポーン♪

悪影響 3 身体面（しんたいめん）

つかれて立（た）っていられない

よろ
よろ

生活時間（せいかつじかん）がうばわれ、
食事（しょくじ）する時（とき）も
インターネットと
離（はな）れられなくなると…

食事（しょくじ）がおろそかになって
栄養失調（えいようしっちょう）になったり、

また運動不足（うんどうぶそく）がもたらす
体力（たいりょく）の低下（ていか）…

腰痛（ようつう）や頭痛（ずつう）

ズキー

あたま
いたい～

視力（しりょく）の低下（ていか）

まなぶくーん

ぼやぁ

ますます目（め）が悪（わる）く
なった

そして骨密度（こつみつど）の低下（ていか）から
骨（ほね）がもろくなったり…

視力（しりょく）も一気（いっき）に落（お）ちる
など、健康（けんこう）を害（がい）する。

パソコンやスマホは「ブルーライト」と呼（よ）
ばれる刺激（しげき）の強（つよ）い光（ひかり）が出（で）ていて、ずっと
見続（みつづ）けると目（め）に良（よ）くないんだ。寝（ね）る前（まえ）に見（み）
ると眠（ねむ）れなくなるよ。

悪影響 ④ 人間関係

友だちがいなくなる

あいつさいきん つきあい わりーな!

なー!

理由のない いじめ・トラブル

もう おまえとは あそばねーよ!!

プイ

ずーっと一人で インターネットを やっていると、

リアルな 友だちも

ネットの 友だちが いるから いーもん

あれ!?

ニャイレ は ずされ てる!?

ネットの 友だちも

友だちと遊ぶこともなくなり、 人とコミュニケーションを とる機会が減ってくる。

家族への暴言・暴力

ごはんよー

いらない!

たべなさい

うっせーな

ひとりに してよ

やがて家族とも口をきかない… なんて一日をすごすように なったりするよ。

49

悪影響 ⑤ 経済面（お金のこと）

インターネットを通じてやる
ゲームのことを
オンラインゲームというが、

オンラインゲームは
無料でできるものでも
アイテムを手に入れたり、
レベルをクリアするためには

「課金」という有料のシステムを
とっているものが多い。

課金による浪費

なんでも買うぜ！

ゲームでは金もちだから

ポチ
ポチ

最強だ！

親への多額な請求

さんじゅうっ

ギャーッ！！

¥300,000- さんじゅうまんえん

課金は通信料などとあわせて
契約した保護者に請求書が届く。

長時間のインターネットの
使用料とあわせ、
あっという間に万単位の金額が
出ていくことに。

実際に数百万円の高額請求
をされたケースもあるよ。

さらに深刻なのが 犯罪 に巻き込まれるケースだ！

主なネット犯罪

- 名誉毀損罪
- プライバシー侵害
- 侮辱罪
- 個人情報の流出
- インターネット詐欺（ワンクリック詐欺、架空請求など）
- メール被害（なりすまし、業務妨害罪など）

これらはほんの一部

ネット犯罪は「自分がいつ、どこで巻き込まれるのかわからない」から怖いんだ。

じゃあ　インターネットは使わないほうがいいんだね

そんなことはないよ
インターネット自体は
"悪"ではない

こんなキケンがあると知った上で、ルールを守って使えば大丈夫だよ。

入金したのに、品物が届かない…

by ジョー

　フリマアプリとは、不要になった物を個人間で売買できるスマホ向けアプリのこと。安いし、いろんな物が簡単に手に入るので便利なんだよね。行きたかったコンサートのチケットが出ていたので、大喜びで購入して入金したんだけど、全然チケットが送られてこない。出品者に連絡してもつながらない。そのフリマアプリは、一定期間配送されない場合はキャンセルできるので、お金は戻ってきたんだけど、行きたかったコンサートに行けなくなってがっかりだよ…。

　お金がからむことは、保護者に内緒でやるのは絶対にダメだけど、いっしょにやるならこんなところに注意するといいよ。

フリマアプリを利用するなら、こんなところに注意！

⚠ トラブルの解決は、当事者間で行うとされている

⚠ 利用規約等で禁止されていることは絶対にしてはならない

⚠ 未成年者がフリマサービスを利用する時は、絶対に保護者の許しを得ていっしょにやること！

⚠ 当事者や運営事業者との間で問題の解決が進まない時は、最寄りの消費生活センターなどに相談すること

フリマアプリのトラブルは、当事者間で解決することが原則だけど、それでは解決が難しいと感じた時は、まずは運営事業者に相談してみよう。それでも問題が解決しない時は、最寄りの消費生活センターなどに相談してみるといいよ。

3章

覚えておこう
3原則 &
15のルール

原則 1 消せない

「特徴」のページでも挙げたけれど、
インターネットに一度のせてしまった情報はず〜っと残り続ける。
それも永久にだ。
「あ〜、まちがえた！　キャンセル」と思ってももう遅い。
だからインターネットにのせる前には、
くれぐれも慎重に何度も文章を読み返し、
確認することが大切なんだ。
主なルールを5つ挙げたので、これをしっかり守っていこう。

あしたは
おシャムくんの
たん生日

プレゼントを
わたしたい♡

おシャムくんへ
渡したい物が
あるので
肛門でまってます！

まってまって
そのメールっ‖

まちがい
なのっ

ん？
ちーちゃんから
メールだ

え!?

こぅ

消せない についての**5**つのルール

ルール1	発信する前に 内容をよく確認！
ルール2	住所・氏名はもちろん、 写真や動画など 個人情報は出さない！
ルール3	いい加減な情報や ウワサを流さない！
ルール4	公開範囲を決めよう！
ルール5	ID・パスワードは だれにも教えない！

次のページから、
この5つについて説明するよ

仲なおりしたって悪口は消せない

私たち！
いつも仲良し！
とりまきーず！

おシャムくん！
大好き！

だけど…

おシャムくんは
やさしい所が
ステキなの！！

ちーちゃん
おかしいよ！

どうして
そんなこと
言うの!?

おシャムくんは
スッかおネ
さわやかで
最高なの！！

もう知らない！
大っキライ！

クラスの
NYINE

いばりんぼ！

ちーちゃんのへそ曲がり！

まーちゃんの
いばりんぼ！

なんだ？
なんだ？

まーちゃんがまちがってる！

間違ってません〜おかしいのは
ちーちゃんの方です〜

まーちゃんにこうしていってる
・・・からなの？

ちーちゃんの
へそ曲がり！

どーした？
どーした？

次の日…

まーちゃん 昨日はひどいこと 言ってごめんね…

おシャムくんの やさしいところも イイよね〜

私こそ ごめん！

おシャムくんの えがお ときめくよね〜

NYINE（ニャイン）の 書き込みも 消したし！

なかよし〜♥

めでたし！ めでたし！ だね！

ところが ウワサが 一人歩きして…

まーちゃんは のっぽで上から 目線なんだって

ちーちゃんは くせっ毛みたいに 性格曲がってるん だって！

二人はものすごく 仲が悪いらしいよ！

私たち 仲良しなのに!?

え〜 私そこまで 書いてない！

悪口は一生 消えないよ？

送る前に深呼吸 「それ 送って いいの？」

発信する前に 内容をよく確認！

よく確認しないで発信してしまったことで起こるトラブルケース

メッセージをまちがえた人に送り、
伝えたい相手に伝わらなかった

メッセージを送る時、漢字の変換ミスで
恥ずかしい思いをした
例）「校門でまってます！」→「肛門でまってます！」

SNSに「内緒にしてね」と言われていた話を
のせてしまった

SNSで悪口はやめよう
後悔するよ！

「つい、うっかり…」が
起きやすいのが、このケース。
とくに「あて先まちがい」は
大問題になりやすいよ。

Point

1 「送信」する前に、
「送り先」「あて名」
「送る内容」は
念入りにチェック！

2 送る（のせる）写真などは、
合っているか必ず確認！

ささいな写真で特定！個人情報は消せない

Tnyatter
楽しいな！
今日もいろいろ
書いちゃおう！

Tnyatter

個人情報はダメって
言ってたよね…
気をつけようっと

○○駅前のケーキ屋さん
おいしいよね！

隣のおうちの
屋根がかわいい！

きれいなお花が
さいてたよ！

新しいスカート
お気に入り！

「来年は5年生！
楽しみだな〜！」
っと…

送信っと

ちょっと
待ったー！！

おシャム
天使！

これじゃあ
ちーちゃんの家が
どこだかわかって
変な人が来ちゃうよ？

ええ〜！？
そんなに
わかっちゃうの！？

アイコンで
顔も
わかっちゃう♡

・○○駅
・隣がとんがり屋根
・にゃんころ町3-7-14
・4年生の女の子

かわいいねぇ

ヒヒヒ

なかったことに
できないかな？

おシャムくんなら
来てもいいよ♡

ダメだよ♪

一度のせた情報は
消せない…
悪用されるよ
スマホからは消えても
サーバーというところには
残ってるんだよ

61

ルール 2

住所・氏名はもちろん
写真や動画など
個人情報は出さない！

これが個人情報だ！

- 住所・電話番号・メールアドレス
- 氏名・生年月日・年齢・性別
- 学校名・学年・クラス
- ID とパスワード
- 人物の写真・家の写真
- 最寄り駅
- 家族の情報
  （親の仕事・家族構成など）

自分や家族の情報も
他のだれかのも
個人情報だよ

個人情報

個人情報とは、「個人に関する情報」であり、「特定の人（だれのことか）だとわかってしまう情報」を言います。その人のプロフィールなどで、だれのことかわかってしまうものはすべて個人情報です。

もし個人情報を
入力するページが出てきたら、
「ちょっと待って！」と
立ち止まって、
おうちの人を呼ぼう。

個人情報を出したことで起こるトラブルケース

 乗っ取り＆なりすまし

 個人情報として業者に売られたり、勝手に広まっていたりした

 迷惑メールがたくさん届いたり、架空請求が来るようになった

 自宅の場所がわかってしまい、あやしい人が近所をうろつくようになった

 Point

1 自分のも他人のも個人情報は絶対にのせない

2 他人に知られたらその人が困ると思う情報は、絶対にのせない！
例）「〇〇駅のそばに住んでいる」など

ランボーも
『鬼めつの爪』
好きなの？

あたし全巻
もってる！

おお！ すっげぇ
好きだぜ！

かっこいいよね！
猫の呼吸!!
壱の型！
爪斬り

好き？

好きだぜ！

すごいことを聞いて
しまった…

これは…
広めなくては！

見ちゃった！聞いちゃ

キリちゃん
大スクープ!!!

キリちゃん
大スクープだよ!!!

キリちゃん
なんと！みけちゃんと
好き同士!!!!

キリちゃん
昨日「好き」って言い合っ
これは大スクープだよ！

え〜!?

マジかっ

ねぇ　みけとランボー
好き同士ってほんと？

ええ!?
なにそれ!?!?

そんなわけ
ないじゃん!!
だれが言ったの!?

クラスの
NYINEに
キリちゃんが…

コソッ

64

キリちゃんっ!!

なんでこんな
ウソ書くの!?

そーだぞ!!

ウソじゃないよ?
私聞いたんだもん

この耳で

好きなマンガの話
してただけなの!

好きなのはコレ!!

ど鬼めつ爪ーん!!

しょうがないな
消せばいいんでしょ?

ピ!

はい!
スマホから
消したよ!

これで
いいでしょ?

どーするの?コレ!

良くなーい!

めんどくさ

あの二人
ラブラブ
なんだって

ウソ〜

キリちゃんのスマホから消えても
広まったまちがいのウワサは消えない…

ルール3 いい加減な情報やウワサを流さない！

いい加減な情報を広めて起こる トラブルケース

 おもしろがってウワサを書き込んだら、一気に広がってウソだと言い出せなくなった…

 いい加減なイベント情報を信じて、出かけた友だちから大クレーム！

 「ウソつき」のレッテルがはられて、なかまはずれに…

不確かな情報やウワサを流すと、それを信じた人とトラブルになるよ。傷つく人も出てきたりするね。

しかも、こんな大事になる可能性も…

ウソの情報が他人の信用を
おとしめる結果を招いた場合は
「信用毀損罪」
「名誉毀損罪」に
問われるおそれがある。

罪に
なる…

その場合は、
3年以下の懲役または
50万円以下の罰金を払わなければなりません。

Point

1 「ネットで言ってるから」は、
いい加減な情報を
流す根拠にはならない

2
書き込む前に、
複数のサイトや媒体で、
情報が正しいかを調べよう

世界中のみ～んなに 知られていいの？

よし！
今度は公開範囲を
友だち限定にしたから
大丈夫！

安心して
つぶやけるね！

あのね あのね 今日 わたしはね～

次の日、学校で

私スミレが
好き～

私は
タンポポ！

あ
私の好きな
お花はね～

パンジーだよね？
知ってる！

え…？

え、えーと
昨日ね～

デパート
行ったんでしょ？

68

えとね…
今度ね…

あれっ？

フラワーパーク
行くんだろ？

なんでみんな
知ってるの?!

超能力!?
ストーカー!?

だってちーちゃん
Tnyatterに
なんでも書くから…

そういえば
書いてた!?

パンジー〜好き♥

はっ

フラワー
パーク行くの〜

それは本当にみんなに
知られていいの?

69

ルール 4 公開範囲を決めよう！

公開範囲とは…

どこまで情報を公開していいかの範囲のこと。
SNS やその他の Web サービスで公開範囲の設定がある場合は、その説明をしっかり読み、どこまで公開するかを決めよう。
公開した情報はインターネット全体から見られていると思ったほうがよいね。また、写真に位置情報がついていると場所がわかってしまうので要注意だよ。

①自分だけ

②友だち

③全員

情報を見せてもいい相手だけに特定しても、まさかと思うところからもれていくこともあると、心に留めておこう。

公開範囲を決めないことで起こる トラブルケース

 SNS の公開範囲を「すべてのユーザー」にしていたので、その SNS を使っている人全員に内容が見られてしまった

 SNS に書いてあったプロフィールを公開していたら、個人情報がもれてしまった

 友だちだけのつもりで書いた好きな人の話が、クラス全員にバレてしまった…

Point

1 Web サービスを使うときは、必ず公開範囲はどうなっているか確認すること

2 書いたことはもれるかもしれないと覚悟して、のせる情報を選ぶべし！

パスワードは だれにも教えない!

パスワードって
むずかしいよね

どうしてる?

うちは
執事が管理して
くれてるの

たん生日は 欠っていうしね…♪

覚えてられないよぉ…

おぼえきれない♪

私はね〜
数字と自分の名前!
1234chi_chan とか!

おぼえやすくていいよー

にゃり…

次の日

大変!
私のツニャッター
アカウントが
乗っ取られちゃった!!

えろ♪

おシャムくん大好き ♥♥♥

ちーちゃん

へへ〜ん
パスワードとか
簡単に言っちゃう
からだよ!

〜ちゃん!?突然の大

ズルイ!

代わりに
愛の告白
してやった!

なんで!?
私こんなこと
書いてないよぉ

や〜ん

おわらいくん!?

人のパスワード使って
ログインしたら捕まるよ
犯罪だから…

え!?
マジで!?

ちょっとした
冗談なのに!?

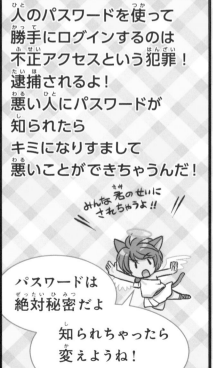

人のパスワードを使って
勝手にログインするのは
不正アクセスという犯罪!
逮捕されるよ!
悪い人にパスワードが
知られたら
キミになりすまして
悪いことができちゃうんだ!

みんな君のせいに
されちゃうよ!!

パスワードは
絶対秘密だよ

知られちゃったら
変えようね!

73

消せない

ルール 5

ID・パスワードは だれにも教えない！

ID・パスワードを忘れると大変なことに！

IDとは自分の名前、パスワードとは家の鍵のようなもの。
この二つで個人を特定するので忘れるとキミがだれか証明できなくなる。
だから、忘れるとサービスが使えなくなってしまうんだ。

IDとパスワードはどこかに書き留めておくなどして、しっかり管理しておこう。ただし、書いたメモは他人に見られないように気をつけて。

また、同じパスワードを使いまわすのはキケンなので注意してね。

ID・パスワードはとっても大事なので、友だちだからといって安易に教えてはいけないよ。落とした時のことを考えて、必ずスマホにもロックをかけておこう！

ID・パスワードを教えたことで起こる トラブルケース

スマホの情報が
全部読まれてしまった…

乗っ取り&なりすまし

親のクレジットカードの情報が
ぬすまれて、
勝手にお金が使われてしまった

Point

1 ID・パスワードは
「家の鍵」といっしょ。
他人には絶対教えない

2 ID・パスワードは
もし忘れても困らないように、
自分でしっかり管理しよう

原則2 やらない

ネチケットを守ろう。
ネチケットとは、
ネットワークとエチケットという言葉を
組み合わせて作られた造語。
インターネットを利用する上で、
お互いに守るべきルールやマナーのことだ。
ルールやマナーに反することは「やらない」。
これには子どもも大人も関係ないよ。

CM マンガ 5分でわかるの？

マンガ・たちばな かいむ

少年少女の主張

↓ココ

いじめっこ
イヤだ～っ!!!

クッキー

片づけが
できな～い!!!

みけ

…というお悩みをもつ
キミたちに

朗報です！

ジョー　トール

キミたちのお悩みを解決して
もっと楽しい毎日にする本・
『友だち術』と
『片づけ術』が
好評発売中だよ！

でも～～～
1冊全部読むって
大変そう…

あたし
あきっぽいから…

大丈夫！

もちろん
ラストまで
よんでほしいけどね

この本は5分読めば

わかるように
冒頭に結論が
あるんだよ！

えっ5分!?

それなら
あたしにも
読めそう！

マンガも
いっぱいで
読みやすい
ね

くわしくは
次のページでね

マンガ：橘 皆無

友だち関係のお悩み実例＆解決法について、
監修の先生かつワクワクとニコニコの専門家・
ジョーとトールが、いろいろな友だち関係のお
悩みにも応用できる「笑顔の法則」を教えるよ！
主人公は小学４年生の擬人化したにゃんころたち
だけど、「友だち術」は中高生でも大人になって
も一生使えるスキル。友だち関係の悩みがない
キミも、知っておいて損はない。「あるある」的
な身近な実例マンガでさくさく読めちゃうよ！

全国書店・ネット書店で好評発売中 ＊定価：990円（税込）

ほかにも　お悩み続々登場！

**身のまわりをキレイにしたい
キミにはコレ！**

一生使えるスキルが **5分でわかる** 小学生実用BOOKS
片づけ術

片づけられないお悩みについて、読めば5分でやり方がわかる明快セオリーを、片づけのプロ・キネコ先生が伝授！　これまで漠然と「片づけなくちゃ」と思っても、やり方がわからなかったキミも、必ず片づく実践的な指南書だ。片づけ術は身につけたら一生役立つスキルなので、子どもから親世代まで、身のまわりをきれいにしたいと願うすべての人に読んでほしい。片づけの法則をわかりやすくおもしろくマンガで解説した実用書！

全国書店・ネット書店で好評発売中　＊定価：990円（税込）

監修　南 美佳
（整理収納アドバイザー）
監修・マンガ　阿部川キネコ
（整理収納アドバイザー）

Gakken

マンガ：阿部川キネコ

やらない についての **5**つの**ルール**

ルール 1
有名人はもちろん、**他人を許可なく撮影＆アップしない！**

ルール 2
マンガやイラスト、動画や音楽など、**他人が作ったものを勝手にアップしない！**

ルール 3
インターネットで**お金のからむことはやらない！**

ルール 4
歩きスマホ、自転車スマホはやらない！　禁止された場所では使わない！

ルール 5
スマホやタブレットを使いすぎない！

次のページから、
この5つについて説明するよ

NYARASHIの
にゃいばくんだ！

にゃしば
く～ん♡

すごーい！ 芸能猫
本物見ちゃった！

この目撃情報
Tnyatterに
アップしなくっちゃ！

ちょっと
待ったー！

人の写真や動画を
勝手にアップしたら
ダメだよ！

ネットリテラシーの
ノブ先生!?

78

なんで？
みんな見たいと
思うんだけど…

にゃいばくんは
どう思うかな？

アップしていいって
聞いた？

ううん
聞いてない

じゃあ
ダメだね！

アップして
いいかどうか

本人の確認を
とっていない人の
写真をアップしては
ダメだよ

そうか〜

きけないもんね…

しょぼん

ノブ先生なら
アップしても
いい？

背高いね
かっこいい♡

パシャ

ダメ

聞いても断られたらあきらめよう

79

ルール 1

有名人はもちろん、他人を許可なく撮影＆アップしない！

他人を勝手に撮影＆許可なくインターネットにアップしたりするのは、法律違反（肖像権侵害）になる！

肖像権

肖像権とは、自分の肖像（姿・顔）を他人に勝手に撮影・使用・公開されない権利のこと。侵害すると損害賠償請求を起こされることもあります！

肖像権侵害に問われる ケース

うつっている人がだれか、特定できてしまう

SNSなど広まりやすいところにのせてしまった

本人の許可なく撮影してしまった

本人の許可なく、写真をインターネットにのせてしまった

「そんなことで…」と思うかもしれないけど、

写真や動画にうつっている背景から、
個人名や住所がわかってしまったり、
瞳にうつった場所からも
居場所が特定され、
犯罪につながるケースもあるんだよ。
今のカメラは高性能だからピースサインで
指紋もわかっちゃうくらいなんだ。

Point

だれかを撮影する時や、
それをインターネットに
のせる時は、
必ずあらかじめ
本人の許可をもらうこと！

ノブ先生なら
アップしても
いい？

背あいかっこいい♡

ダメ

聞いても断られたらあきらめよう

ちなみに、
有名人を勝手に撮影＆許可なくアップすると…

肖像権の侵害にはなりづらいけれど、パブリシティ権やプライバシーの侵害となるケースも。芸能人にもプライバシーはあるよ。やっぱり人がいやがることはしないというのが、大原則だ！

マンガ・イラスト・音楽… 許可なくアップは✕

うおー！
『進撃のにゃんころ』の
最終回最高だった!!

あのなぞが
あーなって
こーなってすごい！

この感動を
みんなに
伝えた～い！

ピロリーン ピロリーン ピロリーン

ありがとう
おわらいくん！
最高だよ！

見たかったの
最終回！

みんな
喜ぶだろうなぁ

ちょっと
待ったー!!

なんでダメなの？
この熱い感動を
みんなと分かち合いたい
だけなのに！？

キミはそのマンガを
描いた人じゃないから
アップする権限が
ないんだよ

けんげん…？

もしキミが考えたギャグを
知らない人が勝手に
発表したらイヤじゃない？

！？

それはイヤだ!!

でしょう？

あとネタバレになるから
内容をくわしく書くのも
ダメだしね

自分で見たかったのに、
なんで書くんだよ

ネタバレ反対!!

怒る人も
いるよ

え…
喜ぶ人ばっかりじゃ
ないんだ…

え〜と
最終回はすごくて
すごくてすごかった

これで
伝わるかなぁ♪

うんうん
自分の言葉だね

それがいいよ

ルール 2

マンガやイラスト、動画や音楽など、他人が作ったものを勝手にアップしない！

テレビ番組や音楽、イラスト、マンガ、アニメ、本など、だれかが作ったものを許可なく勝手にアップするのは法律違反（著作権侵害）になる！

著作権

著作権とは、マンガ、アニメ、音楽などの著作物を作った人（著作者）が持っている権利。使いたい場合は著作者の許諾が必要です。著作物を使いたい人に対して、こういう条件なら使っていいよ、使ってはダメだよ、と許可・拒否する権利（著作権）があるから、無断で使うのはダメ。

小学生がよくやってしまうのがコレ！
マンガや雑誌、本を買わずに撮影するのは「盗撮」といって、やってはいけないことだよ。
お金を払って買った物でも、許可なく投稿したり、勝手に何かに使うのは絶対にやめよう。
「知らなかった」ではすまされない。
子どもでも、いけないことと、知っておこうね。

新刊

他人のサイトにあったイラストや
写真を自分のプロフィールに使った

 買ったマンガの一部をコピーして、
手を加えたり、インターネットにのせたりした

 気に入ったイラストを撮影して、
SNSで紹介した

 映画や音楽を勝手に録画・録音して
「おもしろいよ」とインターネットにのせた

 好きな歌の
歌詞を引用して、
イメージの
絵を描いて
インターネットにのせた

Point

 自分で作ったり、
描いたりしたもの以外は、
すべて著作物。
勝手に使ったりインターネットに
のせたりしてはダメ！

ピコ

ピコ

ふぅ このゲーム
本当におもしろいな!

フフフ…

やりこんで
お金もいっぱい
たまったし

フフフ
大金持ち

G 898,277,001,239

お?
新しい装備が実装
されたぞ?

かっこいい!
これでますます強く
なっちゃうな!

防御
攻撃+100
素早さ+100
幸運+100

NEW!

勇者最強セット

¥30,000-
G======

これは
絶対ほしい
いくらかな?

86

課金？
有償?? って
なんだろう？

よくわからない
けど〜

お金ならたくさん
あるから大丈夫！

ポチっとな

大金もちだしね！

よくわからないの
たくさん出てきたけど

ポチ　ポチ

ぜーんぶOKっと

翌月の請求

300,000円

ヒィイイッ!!

シンボー!!

30万円

ええぇ？
ゲーム内のコインだと
思ってたのに

ごめんなさいっ

本当のお金
だったの!?

インターネットで
お金のからむことは
やらない！

" こんな画面が出たら
要注意！ "

**App 内課金アイテムの購入
が完了しました**

この後１５分間は、パスワードの再入力なしに
任意のApp 内課金アイテムを購入できます。変
更するには「設定」をタップして「機能制限」
にアクセスしてください。

| 設定 | OK |

---

http://saginyan.com
「お客様お支払いのお知らせ」
お客様のお支払いが確認できていません。
すぐにお支払いください。
期間限定新規入会キャンペーン
160,000円(税込)
お客様ID：1936578
※キャンペーン期間を過ぎますと通常料金
320,000円(税込)でのご登録になります。
誤作動登録の場合
24時間以内に登録削除(自動処理)へご連絡
ください。

TEL：168-222-2222

非通知設定には対応しておりません。
必ず番号を通知しておかけください。

OK

「クリック」する（承認ボタンを押す）と
お金の支払いを OK したことに
なったりするので、
あやしい言葉やお金に関することが
出てきたら、
何もせずにおうちの人を呼ぶことだ！

翌月の請求

300,000円

オンラインゲームで、
どんどんアイテムを手に入れていたら、
親にすごい金額の請求が来た

インターネットで見た商品を
どんどんクリックしていたら、
家に大量の商品が届いて、
親のクレジットカードから
お金が引き落とされていた

読み終わったマンガを
フリマアプリで売って、
商品を送ったのに、お金が届かない

Point

1 お金に関することや、
よくわからないメッセージが
出たら「クリック」しない！

2 オンラインゲーム内課金は
勝手にしてはダメ！

「購入しますか？」と聞かれたら、「押さない」で！
まちがって押してしまったら、おうちの人に相談を。

使っていけない場所では✕

学校は
スマホ禁止だから
できる場所で
思いっきりやる!

こら!
歩きスマホは
危ないぞ!

ごめん
なさい!!

危ないなぁ
歩きスマホなんて
するから…

電話だ

90

もしもしキリちゃん
今話して大丈夫?

あ ママ!
うん 今?
別に大丈夫だよ

ちょっと待った!
全然大丈夫じゃないよ!

ブブゥーー!!

えっ!?
ノブ先生!?

乗り物の中とか
病院とか
使ってはいけない
場所もあるんだよ!

後でかけなおす
わね…

えー
めんどくさい…

ルール 4 歩きスマホ、自転車スマホはやらない！禁止された場所では✖

歩きスマホや自転車スマホによって起こる トラブルケース

 スマホで電話しながら自転車に乗っていたら、おじいさんにぶつかって、ケガをさせてしまった

 歩きながらスマホで動画を見ていたら、うっかり信号無視をしてしまった

 自転車に乗りながら、スマホで音楽を聴いていたら、車のクラクションが聞こえず交通事故に

歩きスマホやながらスマホはキケンな行為として、自治体によっては罰せられるところも増えているんだ。

その他、こんな場所でこんな行為が禁止とされているよ

✕ 電車やバスの中での携帯電話での通話

✕ 学校の中など、禁止されている場所での使用

✕ 図書館や映画館、美術館での撮影や携帯電話での通話

公共の静かな場所での使用は、迷惑になるとされているね

Point

1 歩きスマホや自転車スマホは注意力低下に。絶対にダメ！

2 他人の迷惑になる場所での使用は✕！

制限時間を守れないのは✕

へへへ
先生にしかられたけど
やっぱりやめられないよ…

ログインボーナスが
あるし…

デイリークエスト
も…

早く帰って
あのクエストの
続きを…

あれ？
頭が痛い…

ぼゃぁ…

目もよく
見えない…

肩が動かない!?

腰まで…

もしかしてボク
もうすぐ死ぬの
かな…

それなら
最後にこの
ゲームを…

いい加減にしな
さい!!

決めた制限時間を
守れない!

没収!

適度にできないなら
没収します!

そんなぁ〜

健康第一だよシンボー

ルール 5 スマホやタブレットを使いすぎない！

2章で説明した通り、インターネットにハマるといろんな悪影響がある。
もう一度思い出そう。

46 〜 51 ページを見てね

① 精神面　　② 勉強面

③ 身体面　　④ 人間関係

⑤ 経済面（お金のこと）

そして、犯罪に巻き込まれるかも…

スマホやタブレットは楽しいから
" ハマりやすい " というのが問題。
これを防ぐには、
使う時間を決めて
使いすぎないようにすることだ。

食事中もスマホ、トイレでもスマホを持っていないと不安になる

 約束の時間になっても、スマホがやめられず取り上げられるとあばれるように…

 昼夜が逆転して、朝起きられずに遅刻が増えた

Point

1 スマホやタブレットは長時間使わない！

2 一日に使う時間を決めておこう！

原則3 信じない

インターネットは、だれとでもつながれるし、
相手の顔もわからない。
自分と同じ小学生と名乗っていても、
実は40歳過ぎのおじさんだったり、友だちのお母さんだったり、
なんてこともありえるんだ。
しかも自分のことがわからないからと、ウソをついたり、
だまそうとしたりする人もいる。
だからインターネットで知った情報は、
まず疑ってかかることが第一だ。

信じない についての **5**つのルール

ルール1
インターネットに書かれている
ことをむやみに信用しない！

ルール2
インターネットで知り合った人とは
会ってはいけない！

ルール3
わからない言葉やメッセージ、
変なページが出たら、
クリックしたり返事をしない！

ルール4
無料のアプリやソフトを
安易にダウンロードしない！

ルール5
確認しないで無料Wi-Fi
につながない！

次のページから、
この5つについて説明するよ

かおる子さんって
いいなぁ…

うふふ　私（わたし）も
ちーちゃんみたいな
かわいい子（こ）　大好（だいす）きよ

大人（おとな）だし
優（やさ）しいし
美人（びじん）だし

ぽわ～ん

あこがれちゃう

今日（きょう）も
かおる子（こ）さんと
お話（はな）ししよっと

ピロン♪

あ　ちょうど
かおる子（こ）さんの
書（か）き込（こ）みだ！

何コレ！？

かおる子（こ） @kaoruko

ふぃいいいい!!　今日（きょう）もつかれたぜ
こんな日（ひ）はビールとかわいい女（おんな）の
子（こ）で萌（も）え萌（も）えキューンだぜ！

おじさん！？

BEER

ヤバい！
アカウント
まちがえた!!

ぽか〜ん

ほほほ
今（いま）のは冗談（じょうだん）！
冗談（じょうだん）ですのよ！

私（わたし）は美人（びじん）で
優（やさ）しい大人（おとな）の
お姉（ねえ）さんよ〜

え〜ん

…これは…
なりすましアカウント!?

説明（せつめい）しよう！
「なりすましアカウント」とは！

見（み）た目（め）や性別（せいべつ）などを偽（いつわ）って
自分（じぶん）ではないだれかになりすまし
発信（はっしん）するためのアカウントだよ！

なりきり自体（じたい）は
悪（わる）いことじゃ
ないけどね…

複数（ふくすう）のアカウントを
使（つか）い分（わ）けたりして
時（とき）には詐欺（さぎ）に使（つか）われたり
するよ

ネットに書（か）いて
あることは
本当（ほんとう）のことだけじゃ
ないかも

かおる子（こ）さん
は
おじさん

ちちゃん

ガーン

ルール 1 インターネットに書かれていることをむやみに信用しない！

書かれたことを信じて起こる トラブルケース

インターネットに書いてあった話を
学校でしたら、ウソだと判明。
ウソつきと言われた

調べ学習をするのに、
ネットに書いてあることをそのまま書いたら、
正しくない情報だった

呪いのメールが来たので、
いわれた通り友だちに送ったら
大騒動になった

インターネットには
正しい情報も、まちがった情報も
のせることができるので、
「ネットに書いてあったから…」と
むやみに信用してはいけないよ

とはいえ、すべてが「ウソ」というわけでもない。
信じる前にこんなチェックをしてみよう。

1 信頼できる情報源で調べる

国や地方自治体、新聞社、通信社などが出している情報は、
信頼度が高いよ。

2 複数の情報源で調べる

複数の人やメディアがそれぞれの言葉で
同じ内容を伝えているかどうか確認する。

3 発信者のプロフィールを確認する

プロフィールが個人の時は、要注意だよ！

Point

1 ネットで見た情報は、信頼できるサイトかどうかわかりにくいので、本、新聞などの紙媒体でも確認しよう（※）

2 ネットで見た情報は「ウソかも…」と思って、安易に他人に伝えない

※ウィキペディアや検索サイトで上位に来ていても、広告の場合もあるので注意しよう。

ネットで知り合った人と 会うのは ✕

ほほほ この間のは
ジョークよ！
本当に女性よ！

だから
ちーちゃん
ママに内緒で
お茶会においで〜

ほほほ…

かわいいお洋服で
着せかえごっこ
しましょ！

え〜
かわいい服は 好きだけど…

どうしよう
本当に冗談
だったのかな？

おいで！ おいで！

行ったほうが
いいかな？

絶対 行っちゃ
ダメだよ！

アブナイよ！！

ノブ先生!?

相手がおじさんか
どうかの問題じゃな
くてね

104

ルール2 インターネットで知り合った人とは会ってはいけない！

インターネットで知り合った人と会って起こるトラブルケース

インターネットで悩みを相談していた
相手と会ったら、
その人の家に連れこまれた

趣味が同じで
ネットで仲良くなった人と会ったら、
やたらと家族のことや自宅の場所を聞かれ、
その後にドロボウに入られた

会ってみたらおじさんで、
エッチなことをされそうになった

インターネットでは
相手がどういう人かわからない。
「会おう」と言ってくる人は
とくにキケンだ！

" こんなサイトでの出会いは要注意！"

SNSで知り合った人と直接会うのは原則ダメだけど、
とくにキケンだと言われているのがこの2つ。覚えておこう。

1 出会い系サイト

交際を目的とした、交流をはかるアプリや
オンラインゲーム、SNSなどのこと。

2 コミュニティサイト

電子掲示板や電子メールなどの機能を用いて、
興味や関心が共通する人同士が
情報交換できるサイトのこと。

Point

1 インターネットで知り合った人は、本当の姿がわからない

かわいこ
ちゃんたち

どこに
すんでるの？

ステキ♡

キャー

あうじ
さま～

2 インターネットで知り合った人は信用しない

わからない画面が出たら クリックしないで

ネット限定!!
モフモフ
まさむにゃ様

お母さんに
頼み込んで
許してもらった

気をつけてね

OK

ネット限定
まさむにゃ様
グッズの購入!

この戦!
負けるわけには
いかぬ!!

ぷぁぁぁ～ん

販売開始まで
カウントダウン

3

WEB限定

2

1

0!
スタート!

今だ!!

カチッ

あれ?
固まった!?

画面が
変わらない!?

動いて！
カチ ください。 カチ
買う
何度もボタンを
押さないでね！
カチ
早く〜

ぱっ
やった〜
買えた〜！
購入できました
パパ〜ン!!
我この戦に
勝利せり〜！

後日
ど〜ん
まさむにゃ様
グッズ届いて
いるわよ
ネット限定
もふもふ
まさむにゃ様
こんなに
買ったの？
ネット限定
もふもふ
まさむにゃ様
ネット限定
もふもふ
まさむにゃ様
ネット限定
もふもふ
まさむにゃ様
ネット限定
もふもふ
まさむにゃ様
ネット限定
もふもふ
まさむにゃ様
ット限定
もふもふ
まさむにゃ様
ネット限定
もふもふ
まさむにゃ様
ネット限定
もふもふ
まさむにゃ様
こんなに!?

代金は
めがね子の
お年玉貯金から
もらうからね
しょぼ〜ん
はい…

一個でいいけど
たくさんの
まさむにゃ様…
しあわせ
かも〜
モフ
モフ

109

ルール 3

わからない言葉やメッセージ、変なページが出たら、クリックしたり返事をしない！

うっかりクリックして起こるトラブルケース

 住所や氏名を入力する欄が出てきたので入力したら、個人情報がぬすまれた

 急に知らない人からの変なメッセージやエッチなメッセージが、バンバン届き出した

 覚えがない料金請求が親のところに送られてきた

「クリック」はYES のアクションと見なされるので、安易に「クリック」すると大変なことになったりするよ

こんな画面が出たらクリック＆返事は×！

ご登録ありがとうございました。

会員登録・個人情報の取得が完了いたしました。

￥15,000　登録完了

登録日時：20××年　8月　12日
お客様の端末情報：××××××××××
お客様のIPアドレス：××××××××××

3日以内にご入金ください

警⚠告
WARNING

支払期限が過ぎておりますが、入金が確認できておりません。
至急、ご連絡ください。
ご連絡を頂けない場合は、携帯端末情報を元に直接請求させて頂きますのでご了承ください。

退会処理入口

080 ×××× 2222

お客様宛の荷物をお届けにあがりましたが不在のため持ち帰りました。下記よりご確認ください。
http://nyagawa-hahaha/com/

Point

1 覚えがないメールや
メッセージは無視すること！

2

「？」と思うページが出たら、
クリックしないでおうちの人を呼ぼう！

ねぇねぇ
こっちのゲームも
無料だよ！

GET

本当だ！

あ！
これも無料！

こっちは
無料なのに
お小遣いが
もらえるって！

今すぐ無料で
はじめよう！
クリック！

マジか！

スゲー！！

名前と住所と
メールアドレス入れたら
もらえるみたいだね

入れよう
入れよう

ワイ
ワイ
ワイ

こっちのサイトは
無料で占いして
くれるって！

生年月日と名前と
電話番号！

なんで
電話番号？

電話占い
だから？

そっか〜

キャ

112

ルール 4 無料のアプリやソフトを安易にダウンロードしない！

安易にダウンロードしたことによる トラブルケース

知らないうちに個人情報や位置情報が読み取られていた

しこまれていたウイルスに、スマホや PC が感染した

個人情報を業者に売られて、勝手に使われた

「無料だから」と安易にアプリやソフトをダウンロードするのは要注意！
"タダほど高いものはない"を肝に銘じて、しっかり調べてから慎重にダウンロードしよう。

こんな画面が出たら、すぐにストップ！

ご注意 - ウイルスが見つかりました！
おつかいのスマホが(13)個のウイルスにより、深刻な
ダメージを受けています！　まもなく、スマホのSIM
カードが破損し、連絡先、写真、データ、アプリケー
ションなどがダメージを受けます。

閉じる

ウソかも…
ワナかも…

Nyandroid クリーナーのアップデートをお勧めします

お使いの mobile がより高速に動作できるように、さらにクリーンなアップデートをリリースしました。あらゆるスマートフォンにお勧めします。

アップグレードしない場合、mobile の速度が低下し、バッテリーがすぐに放電する可能性があります。

今すぐ無料でアップデートして、直ちに Nyandroid をクリーンアップしてブーストしてください！

5分40秒

キャンセル　　　今すぐアップグレード

Point

1 新しいアプリやソフトをダウンロードする前に、他の利用者の評価を確認したり、おうちの人に見てもらうこと

2 不要な情報へのアクセス許可を求めているなど、少しでも不安な点があればすぐにダウンロードを中止すること

無料Wi-Fiに つながない

コンビニ前の
無料スポット
混んでるな…

うちWi-Fiないからすぐ
容量こえちゃうんだよね…

つかいすぎは
ダメよ！

J1

Wi-Fi ①

家の中のネットワーク対応の端末（パソコン、スマホ、タブレット、プリンタなど）が、ケーブルなしでネットに接続できるようになる方式のこと。ワイファイと読みます。Wi-Fi を使うと、自分の端末の通信量を節約できます。Wi-Fi がないJ1は、自分のスマホの通信（たいてい、料金に応じた上限が設定されています）を使うため、動画を見るとすぐに1か月の容量を使いきってしまい、速度制限がかかったりします。

こんな
マークで
表すよ

最新サッカー情報の
動画とか観たいし…
どこかいいところ
ないかな…？

動画の
データ重いん
だよね〜

あ！

いいとこ発見！
※鍵なしだし
すいてて速いぞ！

つながせて
もらおうっと

KAORUKO

ANOHXUSIOH000

※パスワードの設定がないのですぐにつながる

116

これで
最新サッカー情報
GETだぜ!!!

目指せ世界一の
サッカー選手!

くくくのく

まただれか
ひっかかったな

どれどれ

なんだ
男の子か…

カタ

カタ…

クレジット
銀行口座
暗証番号

…は子どもの
スマホだから
設定してないか

ならばTnyatterか
NYINEのアカウント
乗っ取って同級生の
女の子とお近づきに
なるかな!

無料のWi-Fiにはワナがあったりするよ! 気をつけて!

ルール 5

確認しないで 無料Wi-Fiにつながない！

🔍 Wi-Fi ②

Wi-Fi とは、電波を受け取り、パソコンやスマホなどの端末をインターネットに接続するためのシステム。通常はパスワードを入れないと使えませんが、無料で使える Wi-Fi が街の中でもいたるところにあります。

例）空港、駅、公共の施設、スーパーやコンビニ、ホテル、レストラン、カフェなど。

この無料 Wi-Fi を使えば、
すぐにインターネットとつながって、
とっても便利。
でも、セキュリティが甘いものもあるんだ。

ネットでつなぐ ＝ ハッキングできる

🔍 ハッキング

ハッキングとは、パソコンの中に侵入して情報を抜き取ること。

ファミレス

コンビニ

パソコンやスマホに入っている
データが抜き取られ、
クレジットカードが使われた

なりすましや乗っ取りが起きた

カード請求
¥ 200,000-

無料 Wi-Fi は
パスワードがいらないから、
情報をぬすもうとする人が
入ってくるケースも
多いんだ

Point

パスワードがいらない
無料の Wi-Fi は
使わない！

119

子どもたちの インターネット利用実態は？

みんなはどのくらいインターネットを使っているのかな？
全国の10歳以上の小学生を調査した結果から、こんな現状が見えるよ。

※内閣府「令和2年度 青少年のインターネット利用環境実態調査」を基に作成　調査対象：満10歳以上

"小4〜6の約9割がインターネットを利用！"

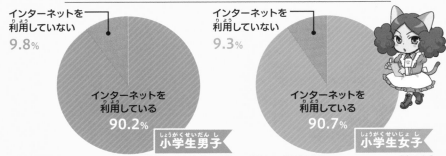

インターネットを
利用していない
9.8%

インターネットを
利用している
90.2%

小学生男子

インターネットを
利用していない
9.3%

インターネットを
利用している
90.7%

小学生女子

子どもたちのインターネットの利用は年々増え続け、令和2年度調査では、ついに9割以上の子どもたちが「利用している」状況に！　内容（端末はスマホ）は、1位が動画視聴で67%、2位がゲームで62.9%、3位が情報検索とメールなどのコミュニケーションで42.1%（以上、複数回答）。

"小4〜6の3人に一人は一日3時間以上利用"

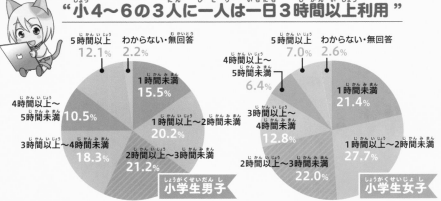

5時間以上
12.1%
わからない・無回答
2.2%
1時間未満
15.5%
4時間以上〜
5時間未満
10.5%
1時間以上〜2時間未満
20.2%
3時間以上〜4時間未満
18.3%
2時間以上〜3時間未満
21.2%

小学生男子

5時間以上
7.0%
わからない・無回答
2.6%
4時間以上〜
5時間未満
6.4%
1時間未満
21.4%
3時間以上〜
4時間未満
12.8%
1時間以上〜2時間未満
27.7%
2時間以上〜3時間未満
22.0%

小学生女子

利用時間を年齢別に見ると、一日3時間以上と答えた12歳男子は、49.7%で平均190.3分。12歳女子は36.4%で平均149.7分。男子に利用時間の多さが目立つのは、ゲームの影響のよう。グラフ外のデータだが、小学生の33.6%、つまり3人に一人が一日3時間以上インターネットを使っているという統計がある。

"使っているのは小学生の1位タブレット、2位スマホ、3位携帯ゲーム機の3種が主流！"

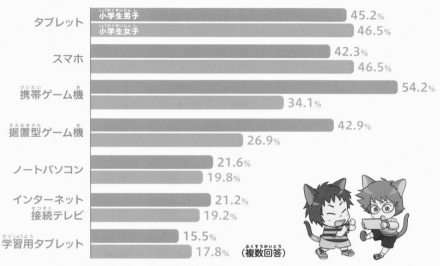

	小学生男子	小学生女子
タブレット	45.2%	46.5%
スマホ	42.3%	46.5%
携帯ゲーム機	54.2%	34.1%
据置型ゲーム機	42.9%	26.9%
ノートパソコン	21.6%	19.8%
インターネット接続テレビ	21.2%	19.2%
学習用タブレット	15.5%	17.8%

（複数回答）

他に、子ども向けや機能限定のスマホを使っているのが、小学生男子は3.0%、小学生女子は5.2%、同じく子ども向けや機能限定の携帯の使用は、小学生男子で10.5%、小学生女子は16.4%。ほとんどが大人と同じスマホや携帯を使用しているのがわかる。

"インターネットで勉強に集中できないなどの経験ありが男女合わせて約1割！"

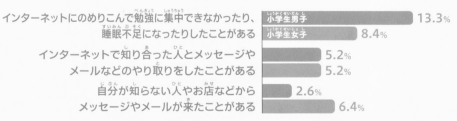

	小学生男子	小学生女子
インターネットにのめりこんで勉強に集中できなかったり、睡眠不足になったりしたことがある	13.3%	8.4%
インターネットで知り合った人とメッセージやメールなどのやり取りをしたことがある	5.2%	5.2%
自分が知らない人やお店などからメッセージやメールが来たことがある	2.6%	6.4%

他にも、ゲームやアプリでお金を使いすぎたことがあると答えたのが、小学生男子3.6%、小学生女子が1.2%。悪口やいやがらせのメッセージを送られたり、書き込みをされたことがあるが、小学生男子2.6%、小学生女子が1.8%。インターネットの利用とともに、こうした問題も出てきていることがうかがえる。

SNSには要注意！

中でも近年、被害やトラブルが増えているのが、SNSが入り口になっているケースだ。では、SNSっていったい何？　そして、どんなトラブルに巻き込まれやすいのか調べてみたよ。

SNSとは…

ソーシャルネットワーキングサービスの略。
（Social Networking Service）
インターネット上で
人と交流できるサービスの総称。

その特徴は、人と人とのつながりを持つことができること

登録した人同士が交流できるので、同じ趣味の人や、遠く離れた人ともコミュニケーションすることができるんだ。

子どものSNS被害が年々、増加傾向に！

警察庁「令和2年における少年非行、児童虐待及び子供の性被害の状況」より抜粋

令和2年は
被害児童数
1,819人！

SNSに起因する事犯の被害児童の
アクセス手段

スマートフォン	1,701人
スマートフォン以外	115人
不明	3人

SNSに起因する事犯の被害児童の
フィルタリング利用状況

利用あり	167人
利用なし	984人

平成28年からの5年間で、約5％もトラブルにあった子どもが増加している。そして、令和2年は被害事犯1,151件のうち、フィルタリングを利用していない児童が984件で85.4％と、約9割を占めた。犯罪に巻き込まれないためにはフィルタリングがいかに大事かがわかる。

ここから先は通しません！

フィルタリングだ！

にゃんだおまえ

通せ！

フィルタリングはマストアイテム！

実際に起こった
トラブル例

総務省「インターネットトラブル事例集（2021年版）」より

ケース1　自撮り画像を送ってしまった…

SNSで好きなアーティストの話題で意気投合した同じ年のRさんとやり取りするようになったSさん。やがて、だれにも言えない秘密も打ち明ける仲に。Rさんから自撮り写真が届いたので、自分の写真を送ったところ、写真つきで秘密をネットにバラされたくなければ、裸の写真を送れと脅された。

ケース2　写真の投稿から、知らない人につきまとわれるように…

よく行くショッピングモールでお気に入りのお店を見つけたPさん。友だちに教えてあげようと位置情報オフで撮影した写真を投稿。その後、だれかに後をつけられていることに気づいた。Pさんが投稿した写真の背景からお店の場所がわかり、生活範囲が特定されたためだとわかった。

便利で楽しい反面、トラブルの元にもなるSNS。ここでは、キミたちがよく使う主なSNSを紹介するよ。特性を理解して、使う時のルールを考えよう。

主なSNS

以下の5つ以外に、世界で最もユーザー数が多いfacebookというSNSがある。実名で登録が必要なのが特徴。

LINE（ライン）

通話やメッセージができるメッセンジャーアプリだが、SNSの機能を持っている。LINEマンガやLINE GAMEなどできることがどんどん増えてきている。

Twitter（ツイッター）

140文字までの「つぶやき」を投稿できるSNS。他の人の投稿を自分のタイムラインでシェアできる「リツイート」機能があり、広がるのが早い。

Instagram（インスタグラム）

画像がメインのSNS。動画配信も増えている。見ばえの良い写真に人気が集まるために「インスタ映え」という言い方も流行語になった。

YouTube（ユーチューブ）

世界最大の動画共有サービス。動画の投稿・閲覧ともに原則無料で、インターネットや専用アプリで公開された動画はだれでも見ることができる。

TikTok（ティックトック）

15秒、60秒、3分以内の短い動画を、撮影、加工して投稿できるアプリ。世界中のユーザーに向けてシェアし、みんなに見てもらえる。一定条件を満たせば、ライブ配信できる。

※LINEは利用推奨年齢12歳以上。Twitter、Instagram、YouTube、TikTokは対象年齢13歳以上。ただし、いずれも保護者の許可があれば、何歳からでも視聴や参加ができる。

安心ネットの3原則

1 消せ

一番重要なのは「消せない」だ。

なかったことにできない…それがネットの世界だ。

ポチッと送信する前に心に問いかけよう。

「本当にいいの？消せないよ　一生いいんだね？」

ない

のせてしまった情報は永久に残り続けるよ

② やらない

ルールやマナーに反することは絶対やってはダメ

③ 信じない

相手がわからないのでまず疑ってみる

わかった！よくかんがえる

だね！

スマホ、落としちゃった！ どうしよう…

by トール

　大人だってスマホの失敗はいっぱいある。ボクが最近、青ざめたのがこのスマホ事件！　電車でスマホを見てる間に眠ってしまって落としたらしい。家に帰って寝る前に気づいて、翌朝あちこち当たったんだけど、もう大変！　結局、スマホは見つからなくて、登録してあった知り合いの連絡先もなくなったし、後から覚えがない請求書が届いたり…。スマホや携帯を落としたり、なくした時は、とにかく早い対応が大事。そういう時にどうしたらいいか、ボクの経験からまとめたので、ぜひ参考にしてくれたまえ。

"落とした時はココをチェック！"行動リスト

　まずは保護者に連絡して、上の項目から順に対応していこう。

☐ **落とした可能性のある場所に連絡する**
落としたと思われる場所の連絡先をパソコンなどで調べて、連絡してみよう。落とし物として届いている可能性があるよ。屋外なら、交番や警察署に届けよう。

☐ **落としたスマホや携帯に電話をしてみる**
他の電話から電話してみよう。拾った人が電話に出てくれる可能性があるよ。

☐ **「スマホを探す」の機能で探す**
iPhone、Androidともに専用のWebサイトにアクセスすれば、スマホや携帯の場所が地図上に出てくるよ。この機能を使うには前もって設定が必要だよ。

☐ **キャリアへ連絡して、契約しているサービスをストップ**
探しても見つからなければ、キャリアに連絡しておサイフケータイなどの各種サービスを停止しよう。停止前に使われてしまうと、使われたお金の請求が来ることもあるよ。

☐ **使用サービスのパスワード変更**
落としたスマホや携帯から情報を読み取られてしまう可能性もあるので、メールなどよく使用しているサービスのパスワードは変更しておこう。

4章
親子でネットルールを作ろう

ネットのことはノブ先生にいろいろ教わったから!

ネットははさみや包丁と同じ便利な道具だからルールを守れば安全なんだよ

だれもケガしないように3つの原則を守ってルールを決めようね!

この間めちゃめちゃ おどしてやったけど…

勉強の しらべもの

アタマからダメって いうのもなぁ…

リモート 授業

この先 スマホや ネットは 必要に なってくるし…

天気予報

GPS

災害時の アラート

個人認証

よし!!

ここはきちんと 家族で話し合って

パパーーッ!

おっ!!

わが家の スマホルールを 作るぞ!!

えっ!? えっ!? いいの? お父さん!

やった♡

よろこぶのは早いぞ! 決めたルールを 守れなかったら 没収だからな!

130

ネットのことは
ノブ先生にいろいろ
教わったから！

ネットははさみや包丁と同じ
便利な道具だから
ルールを守れば安全なんだよ

だれもケガしないように
３つの原則を守って
ルールを決めようね！

３つの原則？

「消せない」
「やらない」
「信じない」
だよ！

これからいっしょに勉強しようと
思っていたお父さんであった

おとーさん♥
おつかれさま

おとうさん
おふろわい

おとうさ
あのね

子どもたちと
NYINEする
夢がかなった

みけが
♥つけて
くれた♥

使う時間を決めよう

インターネットを長時間やり続けると、
いろんな悪影響が出てくる。
それを防ぐには使う時間のルールを決めることだ。

ポイント 1

" ガマン " ではなく、
自由に使うための約束ごとを考えよう！

ポイント 2

自分で決めた時間は絶対に守る！

子どものころ、ガマンさせられていた人ほど、
大人になってハマるケースが多い。
だから、使うのをガマンするためのルールではなく、
自由に使うためのポジティブなルールとして
決めていこう。

親子の話し合い チェックリスト

決まったルールは140ページに書いていこう。

使う時間のルールを決めるには、こんな項目を話し合ってみよう。
できたらチェックを入れていってね。

☑ 身体や勉強に悪影響が出ないためには、
使用時間は一日何分？

☑ 平日の使用時間、
休みの日の使用時間は？

☑ 使っていいのはいつ？
それはなぜ？

☑ ゲームの途中で時間が来たら、
どうする？

☑ 約束の時間がすぎてしまったら、
どうする？

133

使う場所を決めよう

インターネットを使う場所も、
どこで使うかしっかり決めて、親子で確認しておこう！

ポイント **1**

インターネットは
おうちの人がいる場所で使うこと

ポイント **2**

外で使う場合は、
「こういう時にだけ使う」と
用途を決めよう

外では、病院や交通機関内など、
使ってはいけないところもあるので、確認しておこう。

親子の話し合い
チェックリスト

決まったルールは
141ページに
書いていこう。

使う場所のルールを決めるには、こんな項目を話し合ってみよう。
できたらチェックを入れていってね。

☑ 家の中で
インターネットをする場所はどこ？

☑ 今のできる場所を
そのまま使う？

☑ おうちの人がいなくても
使っていい？

☑ 基本的に使うのは家の中。
でも、例外的に使うとしたら
どんな場所でどんな時？

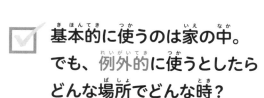

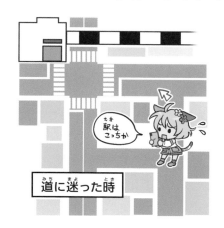

道に迷った時

知らない場所に
行く時

やっていいこと・悪いことを決めておこう

インターネットを使うには、
そもそもやっていいこと・悪いことを
決めておくことが大事だよ。

ポイント ①

人に迷惑がかかることは **✕**（ダメ）

ポイント ②

お金がかかることは **✕**（ダメ）

他人を傷つけたり、
勝手に注文して何かを買ったりするなど、
他の人に迷惑がかかるのは絶対ダメだよ！

親子の話し合い
チェックリスト

決まったルールは
142ページに
書いていこう。

やっていいこと・悪いことのルールを決めるには、こんな項目を
話し合ってみよう。できたらチェックを入れていってね。

☑ 親の許可がいるものは、どんなこと？
例）ダウンロード、アップロードなど

☑ 見ていいサイト、
見てはいけないサイトは？

☑ 友だちへの電話や
メッセージは OK?

☑ SNS への登録や
書き込みは OK?

☑ 絶対に
やってはいけないことって何？

お父さん以外の
男子とのニャイト
禁止！

ぼくは？

え―

プライバシーはどこまで？
親に見せる範囲を決めよう

親はキケンがわかっているから、心配で子どものスマホの
内容は全部見たい。でも、キミは見せたくないものもあるよね。
だから、親子で見せる・見せないの範囲を
しっかり話し合っておこう。

ポイント **1**

親は何が心配で、どうすれば
安心なのかを聞いてみよう

ポイント **2**

キミが「見せたくない」理由は何？
やましいところがあるなら ✕（ダメ）

お互いの考えが「これなら OK」と
歩みよれるところまで、
じっくり話し合うことが大切だよ。

親子の話し合い
チェックリスト

決まったルールは143ページに書いていこう。

話し合う項目を挙げてみたよ。
できたらチェックを入れていってね。

☑ **親は自由に見てOK?**
それともダメ？

☑ **親が見ていいのはどこまで？**
　　　・メッセージは？（内容と相手）
　　　・登録している連絡リストは？
　　　・自分が見たサイトは？

☑ **親に見せるなら、**
それはいつ？　どういう時？

基本はIDとパスワードを親に教えて、見ようと思えば見ることができるようにしておいて、その上で「ここは見てほしくない」と伝えておくのがオススメだね。小学生時代は安全性重視ですべて見せ、自己管理は中学生からかなと、ボクは思うよ。

これがキミのルールリストだ！

話し合って決めたルールをどんどん書きこんでいこう。

ルール **1** 時間

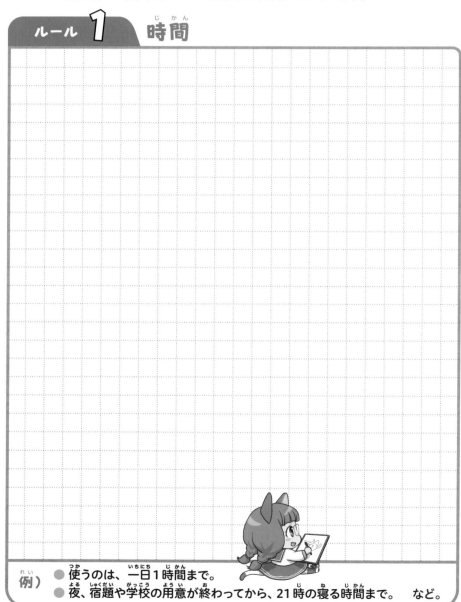

例）
- 使うのは、一日1時間まで。
- 夜、宿題や学校の用意が終わってから、21時の寝る時間まで。　など。

ルール 2　場所

例）　● 使うのはリビングのみ。　● 親がいるところで使う。　など。

やっていいこと・悪いこと

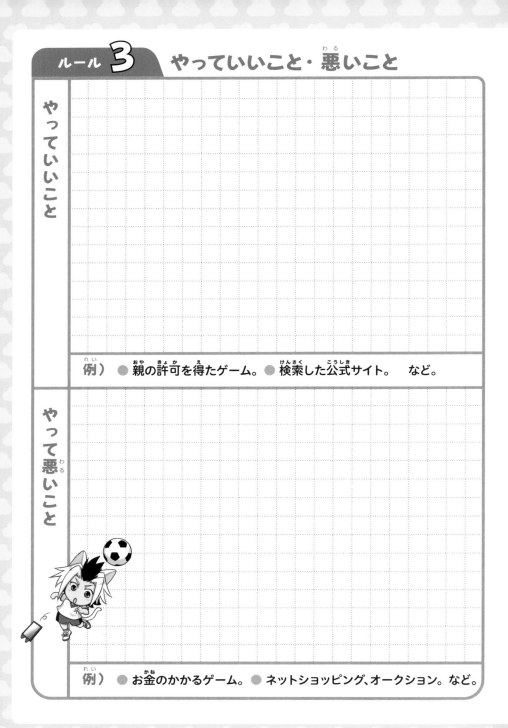

やっていいこと

例） ● 親の許可を得たゲーム。 ● 検索した公式サイト。 など。

やって悪いこと

例） ● お金のかかるゲーム。 ● ネットショッピング、オークション。 など。

例） ● 友だちとのメッセージの内容。 ● 検索した履歴。 など。

実際に使いながら、
新たなルールを決めたら
どんどん足していってね。

IDとパスワード、電話番号や メールアドレスなどのMYリスト

忘れてはいけないのが、自分で決めたパスワード！
その他、覚えておかなければならない自分で管理するものを、ここに書いておこう。※ここに挙げたものは、絶対他の人に見せてはダメだよ！

IDとパスワード	何の？	ID	パスワード
	携帯		

自分のメールアドレス	何の？	メールアドレス	
	携帯		
	PC		

電話番号	何の？	電話番号	
	自宅（固定）		
	自分（携帯）		
	父（携帯）		
	母（携帯）		

5章
しょう

保護者の方へ
ほ　ご　しゃ　　　かた
「こんなトラブル
増えています！」
ふ

ここだけの話だけど
となり組のAちゃん
いつもうちの子に
いじわるするのよね

Aちゃんって
そうなの！？

いじめっこ
イヤねえ

みんなも
気をつけてね

わかったわ！
Aちゃんに注意ね！

保護者
の
方へ

ここからは保護者の方がたに向けたページです。
お子さまには少し難しい用語も出てきます。

今や約9割の小学4〜6年生が インターネットを利用 （2021年現在）

"使っちゃダメ"は通用しません！

内閣府 「令和2年度 青少年のインターネット利用環境実態調査」を基に作成　調査対象：満10歳以上

インターネットの利用状況 （学年別・性別）

利用していない

男子	10歳	インターネットを利用している 88.0%	12%
	11歳	91.3%	8.7%
	12歳	92.8%	7.2%
女子	10歳	インターネットを利用している 83.1%	16.9%
	11歳	93.2%	6.8%
	12歳	95.2%	4.8%

子どもたちのインターネットの利用は小4(10歳)の時点ですでに8割を超え、学年が上がるにつれ増えているのがわかります。「危ないから触らせたくない」という保護者の想いは、ますます現実とズレていくことがうかがえます。

でも、どうでしょう？
実は保護者の方も使い方やルールを
知らずにトラブルを
引き起こしていることもあるようです。
たとえば、次のようなケース。
聞いたことや実際にやってしまった
ことはないですか？

わが子以外の子も写っていた写真をうっかりアップ

やった！
うちの子
一等賞だ！

この喜びを
インスタに
アップだ！

うちの子が
一番っと

ピロリロ♪

ちょっと！
勝手にうちの子の写真
インスタにアップしないで
くれる？

それでなくても
一着になれなくて
落ち込んでたのに
どうしてくれるの!?

すみません
すみません

親の違法を子は見ています。 イラストは落ちているわけではありません

あら　この絵
かわいいわね〜
アイコンに
使っちゃお！

ネットって
素敵なものが
落ちているから
いいわね〜

あ！　こっちも
いいわな〜

♪

……

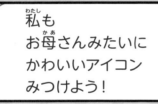

私も
お母さんみたいに
かわいいアイコン
みつけよう！

あ

これなんか
すてき！

かわいく
できた❤

ちょっと！
私の絵　勝手に
使わないで！！

ピコン！

落ちてたんだもん！
お母さんもやってるから
私悪くないもん！

いや〜ん

イラストや写真は
「落ちている」
わけでは
ないですよ

親同士のウワサ話…子どもにも伝わります

ここだけの話だけど
となり組のAちゃん
いつもうちの子に
いじわるするのよね

みんなも
気をつけてね

Aちゃんって
そうなの！？

いじめっこ
イヤねえ

わかったわ！
Aちゃんに注意ね！

あっちのグループで
Aちゃん注意って
言われてるわよ？

なんですって!?

Bちゃんママに
ひどいこと
言われたの…

ひどいね―

しく　しく

なかないで―

やーい
おまえのママ
いじめっこ

ちがうもん！

おまえがママに
告げ口したん
だろう？

「ここだけの話」は
「ここだけ」じゃ
終わらない…

ごめんな
さい

ちゃんと
しょうこも
あるのよ

ぐすん

149

親がまず知っておかねば！
「インターネットリテラシー」

インターネットリテラシーとは、
^(＝ネットリテラシー , p.44参照)
インターネットを正しく使いこなすための知識と能力のこと。
インターネットリテラシーがない人は、
次のような問題を起こしがちです。

インターネットリテラシーの欠如によるトラブル 5

1 情報を疑わず信用してしまう

2 個人情報をさらしてしまう

3 他人の情報をさらしてしまう

4 無料アプリやソフトを不用意に
ダウンロードしてしまう

5 SNS でのトラブルに
巻き込まれてしまう

インターネットリテラシーとは、
具体的に下の5つの能力を指します。
1〜3はここまででしっかり説明したので、
お子さんといっしょにおさらいしましょう！

インターネットリテラシー5

1	インターネット上の情報の信頼度・正確性を判断できる
2	情報の取捨選択ができる
3	プライバシー情報を正しく管理できる
4	電子商取引を正しく行える ※電子商取引とは、インターネット上で商品やサービスの売買またはその契約を行うこと。
5	セキュリティ対策を講じられる

└─ 次のページでもっとくわしく説明します！

親のセキュリティ対策
フィルタリングを必ず設定

インターネットリテラシーでいう「セキュリティ対策」は
ウイルスや他人の侵入を防ぐために行うもので、

1　OS のアップデート

2　セキュリティソフトの
　　契約とアップデート

3　アプリケーションソフト
　　のアップデート

が主なものですが、子どもに対してはもう一つ。
とても大事なセキュリティ対策になるのが、
フィルタリングです。

フィルタリングとは

有害なサービス・コンテンツをブロックし、
無害なサイトのみを閲覧させる仕組みです！

子どもをインターネットに
触れさせるのなら、
フィルタリングはマストです！
主なフィルタリングには、
次のやり方があります。

スマートフォンの機能を利用する

iPhone や Android にはフィルタリング機能が標準装備されています。
無料な上、操作も簡単です。

携帯会社のサービスを利用する

大手の携帯各社が無料でフィルタリングサービスを実施しています。小・
中・高校生の対象別や保護者の目的に合わせたフィルタリングが可能。

フィルタリングアプリを利用する

セキュリティソフトの販売元が提供しているフィルタリングソフトの一つ
です。携帯の3大キャリアを利用していないユーザーにオススメです。

 **外出先や自宅でWi-Fiを利用したWebサイトを
閲覧する際、フィルタリングのブロックが
かからない場合があります。**

携帯会社の提供するフィルタリングサービスは、携帯回線の利用時し
か機能しません。そのため、外出先や自宅でWi-Fiを利用した場合は、
フィルタリングはかかっていない状態になります。ブラウザ型フィルタ
リングであれば、携帯・Wi-Fiの両回線に対応しています。

子どもが安全に

保護者が押さえておきたいポイント3

子どもたちにインターネットの使い方やルールを教えるには、
保護者がそれを知っていることが大前提！

1 親子でインターネット
リテラシーを
身につける

2 フィルタリングを
設定

インターネットを使うために

3 子どもと話し合って ルールを作る

4章に親子でルールを決めるやり方が載って
いるので、いっしょに読んでチャレンジして
みましょう！

3については
子どもが守ってくれるように、
また、問題が起きたらすぐに
親に相談してくるように
しておくことが大切です。

大切なのは、親子でなんでも言い合える信頼関係を築くこと

子どもにどうインターネットと関わらせていくのか、何歳から機器に触れさせていくのか。親も自分の子ども時代には普及してなかったものだけに、判断に迷うことも多いのでは。子育て中のママ・Mさんが保護者代表として手塚先生に疑問をぶつけみました。

今の時代は小さいうちから触れさせるのがメリットに。使わせないよりどう使うか

―― Mさんは、現在小3女の子と4歳の男の子のママで、働きながら、ご夫婦で協力して子育てしています。Mさんはお子さんに携帯やスマホを持たせていますか？

 はい。上の子には小学校に入学するとき、キッズ携帯を持たせまし

た。家に固定電話がないので、子どもが家に帰った時、連絡がつかなくなるからです。GPS機能がついているのも安心だなと。ただ、ネット機能はついていません。手塚先生に質問なのですが、何歳くらいからスマホのようなネットにつながる端末に触れさせるのが良いのでしょうか。

 それはどのようなことが気になっているのですか？

 ちょうど私が上の子を産んだあた

 手塚信貴（てづかのぶき）

1990年にIT企業に入社し、約25年間勤務。金融機関、事業法人、官公庁、外資系企業など、約10,000人超の顧客との商談とITサポートを行う。ワークライフバランスを重視した働き方を選び、早期退職、独立起業。現在は会社員、会社経営者、起業家を対象に目標達成のコンサルティングを行う。オンラインビジネス・マスタースクール主宰
ホームページ　https://goal-action.com/

りでスマホ育児というのが言われるようになりました。何かあるとさっとスマホを出すご家庭と、かたくなに「うちはやらない」というご家庭にはっきり分かれているように感じます。私は本を読む子になってほしいとの思いから、あまり触らせないようにしたんですが、小学校に入ったら、小さい頃からガンガン触っている子と端末の扱いが全然違うんです。それで、触らせないと今後子どもの社会生活にマイナスに作用するのかなと不安になって…。

 小さい頃から扱い慣れている子とそうでない子では、触り方だけでなく、発想なども違ってくるのでは、ということですね。

 はい。そうなんです。

 僕も二人の娘を育ててきたのでお悩みはすごくわかります。難しい問題ですよね。個人的な見解ではありますが、乳幼児期にはすすめませんが、僕は小学生くらいから、どんどん触らせてあげた方が良いのではと思っています。皆さん、インターネットに触らせない、スマホを持たせないということを意識されているのですが、持たないリスクということをあまり考慮されていな

いように感じるんですね。

 考えたこともありませんでした。

今や小学生も二人に一人はスマホや携帯を持っている時代です。この割合は年々増していくでしょう。となると、発想や端末の扱いはもちろん、持っていないと友だちとコミュニケーションできなかったり、仲間外れになるということが起きてくるかもしれません。スマホや携帯ははさみや包丁と同じで、使い方によっては凶器にも利器にもなる。大切なのは、危ないから使わせないではなく、どう使うかなんです。

端末を与える時はリテラシーもいっしょに。親はリスク管理を行って

 大切なのは正しい使い方ですね。具体的に親がしておくことはどん

なことでしょう。

 まずはリスク管理ですね。あやしいサイトにつながらないようフィルタリングは必ずかけておきましょう。僕は、お子さんが小学生のうちはインターネットにつながる本人専用機器を与えなくていいと思います。そして、機器を与える時はリテラシーもいっしょに教えること。こんな怖いことが起きるというのを関連ニュースなどで教えたり、時には誇張して伝えたりもありだと思います。最後が使うルール。利用時間や使う場所などですね。この本の4章に親子でルールを決めるやり方を載せましたので、ぜひトライしてみてください。

親は子どもに「信頼している」と伝えること。ルールを守るカギは信頼関係

 ただ、うちは下が男の子ということもあるのでしょうが、ハマると止められないというか、ルールを守らせるのが難しいなと…。

 ルールを守らせるカギは「信頼」です。「お母さん、あなたのことを信頼しているから、あなただったら大丈夫よね」と、信頼しているということを伝えてあげれば、「お母さん、自分をすごく信頼してくれているんだ。じゃあ、ルールをちゃんと守らなきゃ」と思いますから。極論を言えば、何かあったら相談するという親子のコミュニケーション、親子の信頼関係がしっかりできていれば、年齢は関係ない。幼稚園から持たせたって大丈夫だと思います。

 そうですね。「何かあったら隠す」ではなく「何かあったらまず話す」。そんな親子関係ができていれば、何があっても安心ですね。

 はい。いくらダメだよと言ったところで、子どもは賢くて、パスワードを読み取って勝手に使ったりするものです。それで、ただ野放しなのではなく、信頼しているけれど、何かあったらいつでも見られるようにしておくからね、ということも伝えておいた方がいいと思います。牽制球ではないんですが（笑）。最初のルールに入れておけば信頼関係には響かない。そういう抑えも交えつつ、それぞれのご家庭でルールを作っていけばいいと思いますよ。

 ネットルールを守らせるのは信頼。手塚先生ありがとうございました。

友 5分でわかる だち術 を読んで解決だにゃ!
クッキーの悩みの行方はいかに?

片づけ術 もあるにゃ!

既刊シリーズ 詳細こちら

おわりに～この本を読んでくれた皆さんへ～

安心ネット術の「消せない」「やらない」「信じない」の3原則をしっかり学んでもらいました。この3原則を守らないと、さまざまなトラブルに巻き込まれて、大変なことになってしまうことが、わかってもらえましたか?

大きなトラブルになると自分だけでなく、ご家族やお友だちなど、周りの人びとの心に大きな大きな傷を作ってしまうことにもなります。インターネット上のデータを消すこと以上に人の心の傷は消すことが難しいものです。

そうならないためにも、ぜひ、ご家族といっしょに十分話し合ってお互いに納得できるルールをしっかり決めて、インターネットを正しく、楽しく、安心して使ってくださいね。

（本書監修・手塚信貴）

小学生実用BOOKS

5分でわかる 安心ネット術

2021年9月14日発行　第1刷発行

企画制作　　　チームにゃんころ
キャラクター原案　はっとりみどり
漫画・イラスト　岩崎つばさ

監　修　　　　手塚信貴
シリーズ監修　上條正義
　　　　　　　菅原　徹

装丁・本文デザイン　今井悦子（MET）
編集協力　　　株式会社興味しんしん
校　閲　　　　株式会社草樹社
編集協力　　　松本裕希

発行人　　　　小方桂子
編集人　　　　芳賀靖彦
企画編集　　　安藤都朗
発行所　　　　株式会社　学研プラス
　　　　　　　〒141-8415　東京都品川区西五反田2-11-8
印刷所　　　　大日本印刷株式会社
製本所　　　　株式会社難波製本

【この本に関する各種お問い合わせ先】
〇本の内容については、下記サイトのお問い合わせフォームよりお願いします。
　https://gakken-plus.co.jp/contact/
〇在庫については　Tel 03-6431-1197（販売部）
〇不良品（落丁、乱丁）については　Tel 0570-000577
　学研業務センター　〒354-0045 埼玉県入間郡三芳町上富279-1
〇上記以外のお問い合わせは　Tel 0570-056-710（学研グループ総合案内）

シリーズ監修

上條正義
（かみじょう　まさよし）
＝『微笑問題』ワクワクのジョー
信州大学繊維学部先進繊維・感性工学
科教授。専門研究分野は感性工学。ワク
ワクしている状態を相手に伝える評価尺
度を作り快適な生活につなげる技術を
研究中。
http://www.shinshu-u.ac.jp/faculty/textiles/

菅原　徹
（すがはら　とおる）
＝『微笑問題』ニコニコのトール
スマイルサイエンス学会（SSS）代表理
事。早稲田大学人間総合研究センター
招聘研究員。東洋大学非常勤講師。笑
顔研究の第一人者。グリコの「スキパニ
スマイル」監修他、多方面で活躍中。
https://www.kanseismile.com/

キャラクター原案

はっとり みどり
羊毛フェルト・クレイ普及協会理事。㈱サ
ンリオ勤務後独立し、㈲ポッシュベール設
立。羊毛フェルトキットや本など多方面で
オリジナルキャラ『にゃんころ』を展開中。
本書もその一つ。
https://www.pochevert.co.jp/

にゃんころシリーズの本

https://gakken-ep.jp/
extra/nyankoro/series/